Key
Allwedd i D...

IWERDON)
SEA

15 16 17
Penrhyn Bay
(Bae Penrhyn)
Rhos-on-Sea
(Llandrillo-yn-Rhos) *Colwyn Bay*

Deganwy
19 Llandudno
Junction
20 21
CONWY

COLWYN BAY *(Bae Colwyn)*
22 23 24 25
Old Colwyn Llanddulas

Abergele Roads
Kinmel Bay
(Bae Cinmel)
26 27
Abergele

RHYL
28 29

PRESTATYN
30 31
Meliden
(Gallt Melyd)

Rhuddlan
32 33

Dyserth
34 35

Bodelwyddan
S Kimmel Park
36 37 38
St Asaph
(Llanelwy)

Bodnant

Llanfair
Talhaiarn

Llangernyw

Llansannan

Henllan

Trefnant

**Denbigh
(Dinbych)**
39

Trefriw

Llanrwst

Bylchau

**Ruthin
(Rhuthun)**

Betws-y-Coed

Llyn
Brenig

Alwen
Reservoir

**CLOCAENOG
FOREST**

Pentrefoelas

Cerrigydrudion

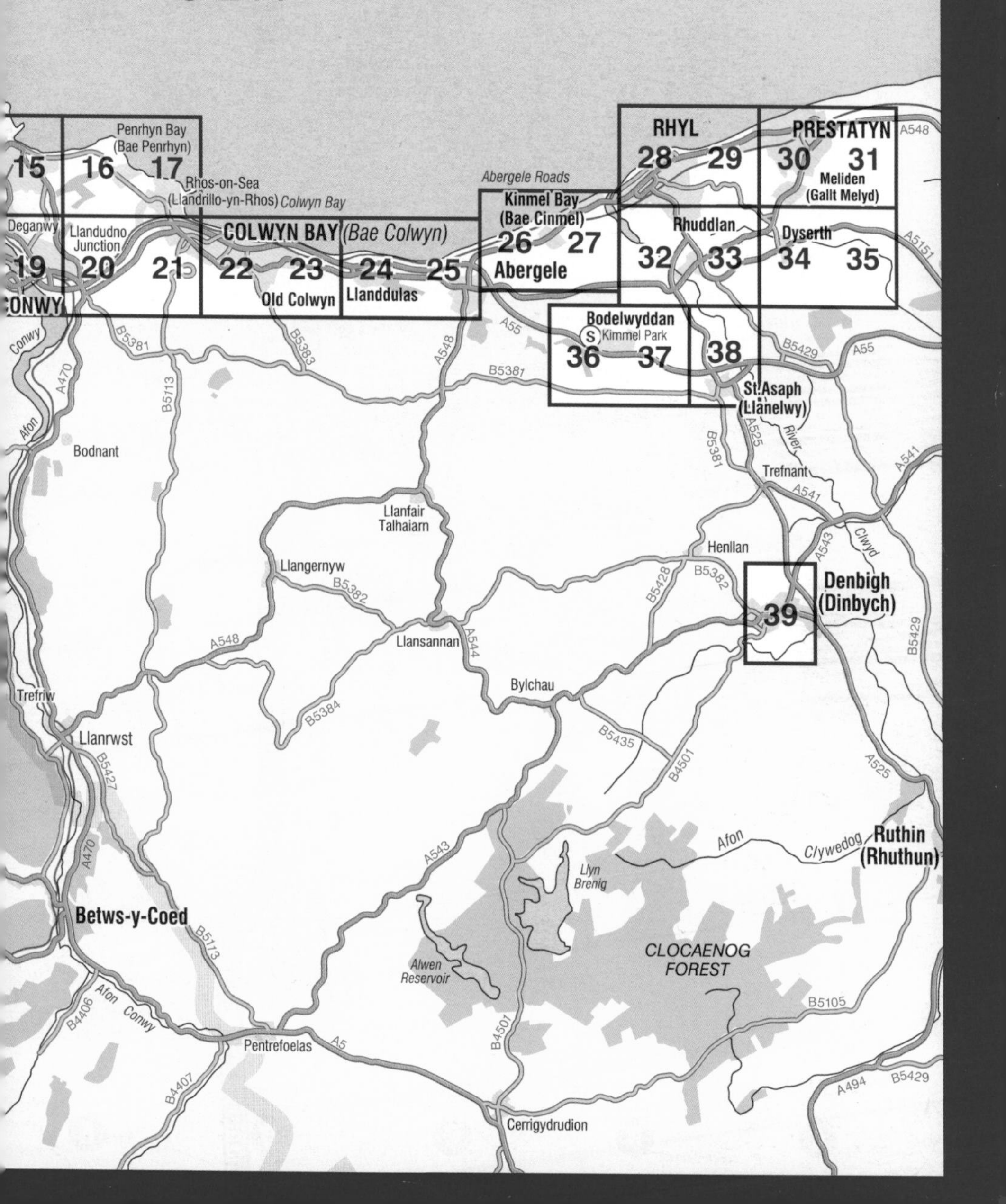

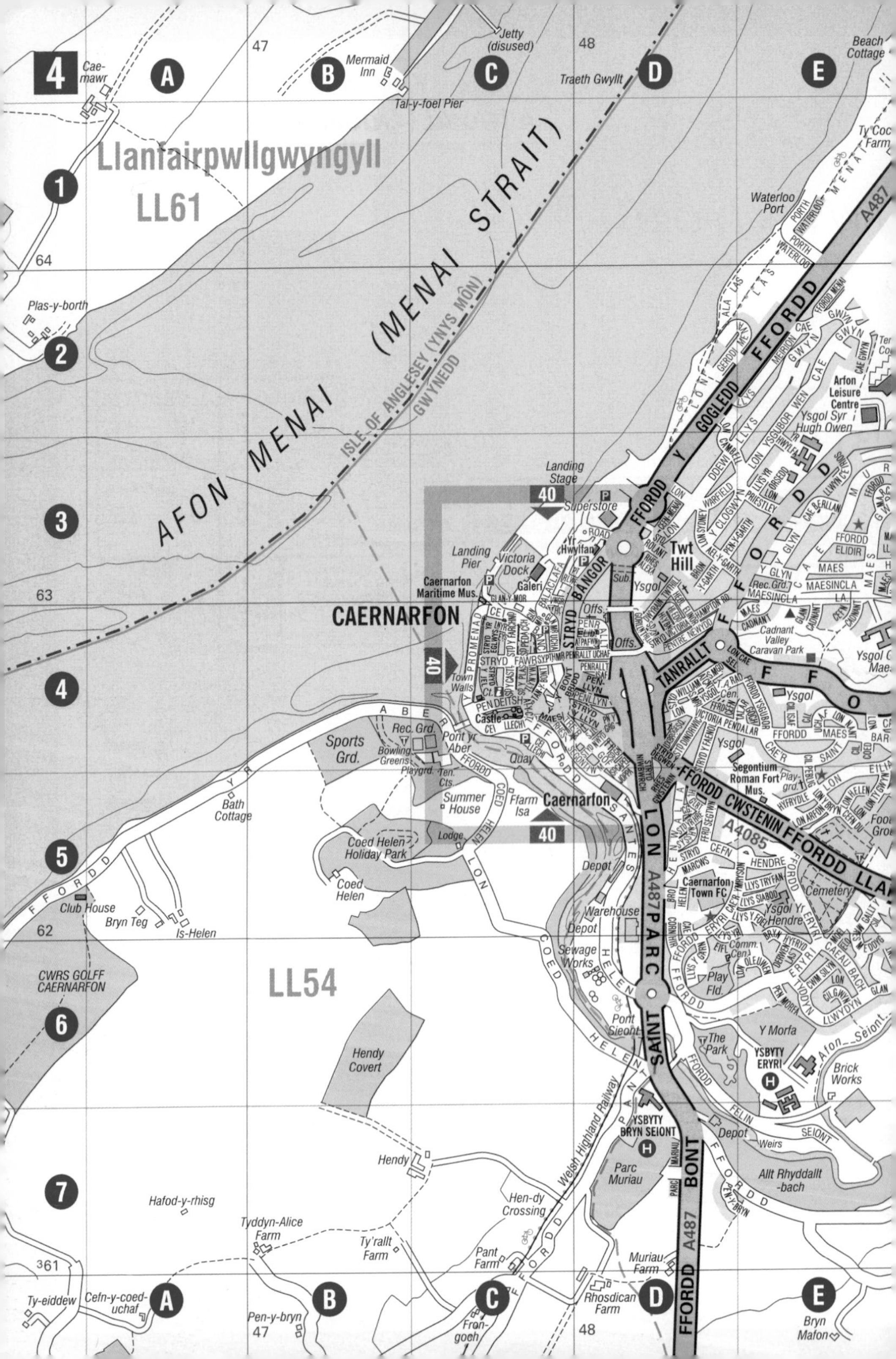
4
A
B
C
D
E
1
2
3
4
5
6
7
47
48
64
63
62
361
Cae-mawr
Mermaid Inn
Jetty (disused)
Tal-y-foel Pier
Traeth Gwyllt
Beach Cottage
Ty Coch Farm
Llanfairpwllgwyngyll
LL61
AFON MENAI (MENAI STRAIT)
ISLE OF ANGLESEY (YNYS MÔN)
GWYNEDD
Plas-y-borth
Waterloo Port
A487
FFORDD Y GOGLEDD
Arfon Leisure Centre
Ysgol Syr Hugh Owen
Landing Stage
Superstore
40
Landing Pier
Victoria Dock
Galeri
Caernarfon Maritime Mus.
CAERNARFON
Yr Hwylfan
Twt Hill
Ysgol
STRYD BANGOR
Offs.
Sub.
TANRALLT
Cadnant Valley Caravan Park
Rec. Grd.
MAESINCLA
Town Walls
Castle
Pont yr Aber
Quay
ABER
Sports Grd.
Rec. Grd.
Bowling Greens
Playgrd.
Ten. Cts.
Summer House
Ffarm Isa
Caernarfon
Lodge
Coed Helen Holiday Park
Coed Helen
Bath Cottage
Club House
Bryn Teg
Is-Helen
FFORDD YR ABER
CWRS GOLFF CAERNARFON
LL54
Segontium Roman Fort Mus.
FFORDD CWSTENIN
A4085
Caernarfon Town FC
Ysgol Yr Hendre
Cemetery
Depot
Warehouse
Sewage Works
LON PARC
A487
Play Fld.
Y Morfa
Pont Seiont
SAINT
The Park
YSBYTY ERYRI
Afon Seiont
Brick Works
Hendy Covert
Welsh Highland Railway
YSBYTY BRYN SEIONT
Weirs
Parc Muriau
Allt Rhyddallt -bach
Hendy
Hen-dy Crossing
Hafod-y-rhisg
Tyddyn-Alice Farm
Ty'rallt Farm
Pant Farm
Muriau Farm
Rhosdican Farm
Ty-eiddew
Cefn-y-coed-uchaf
Pen-y-bryn
Fron-goch
Bryn Mafon
FFORDD BONT

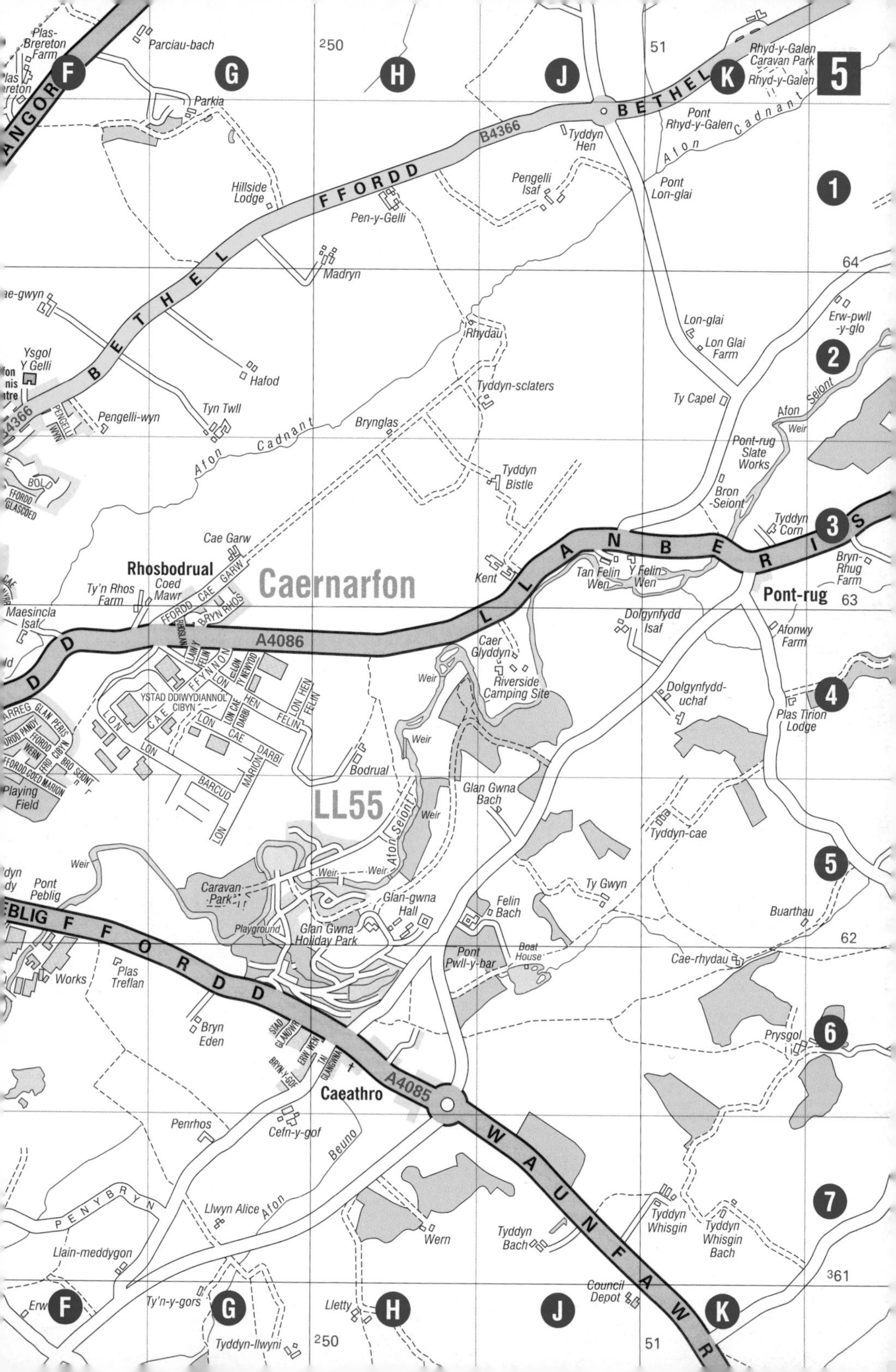
5
F
G
H
J
K
1
2
3
4
5
6
7
250
51
64
63
62
361
Plas-Brereton Farm
Parciau-bach
Parkia
Rhyd-y-Galen Caravan Park
Rhyd-y-Galen
BANGOR
BETHEL
B4366
FFORDD BETHEL
Pont Rhyd-y-Galen
Afon Cadnant
Tyddyn Hen
Pengelli Isaf
Pont Lon-glai
Hillside Lodge
Pen-y-Gelli
Madryn
Lon-glai
Lon Glai Farm
Erw-pwll-y-glo
Ysgol Y Gelli
Hafod
Rhydau
Tyddyn-sclaters
Ty Capel
Afon Seiont
Weir
Pengelli-wyn
PENGELLI WYN
Tyn Twll
Brynglas
Pont-rug Slate Works
Bron-Seiont
Tyddyn Bistle
BOL
FFORDD GLASCOED
Tyddyn Corn
Cae Garw
Rhosbodrual
Caernarfon
Kent
LLANBERIS
Tan Felin Wen
Y Felin Wen
Bryn-Rhug Farm
Pont-rug
Ty'n Rhos Farm
Coed Mawr
FFORDD CAE GARW
BRYN RHOS
Maesincla Isaf
A4086
Dolgynfydd Isaf
Afonwy Farm
Caer Glyddyn
Riverside Camping Site
YSTAD DDIWYDIANNOL CIBYN
LON CAE DARBI
LON HEN FELIN
LON BARCUD
LON MARION
Dolgynfydd-uchaf
Plas Tirion Lodge
Bodrual
Playing Field
LL55
Glan Gwna Bach
Tyddyn-cae
Pont Peblig
Caravan Park
Glan-gwna Hall
Ty Gwyn
Felin Bach
Buarthau
Playground
Glan Gwna Holiday Park
FFORDD PEBLIG
Works
Plas Treflan
Pont Pwll-y-bar
Boat House
Cae-rhydau
Bryn Eden
Prysgol
Caeathro
A4085
Penrhos
Cefn-y-gof
Afon Beuno
WAUNFAWR
PENYBRYN
Llwyn Alice
Wern
Tyddyn Bach
Tyddyn Whisgin
Tyddyn Whisgin Bach
Llain-meddygon
Erw
Ty'n-y-gors
Lletty
Council Depot
Tyddyn-llwyni

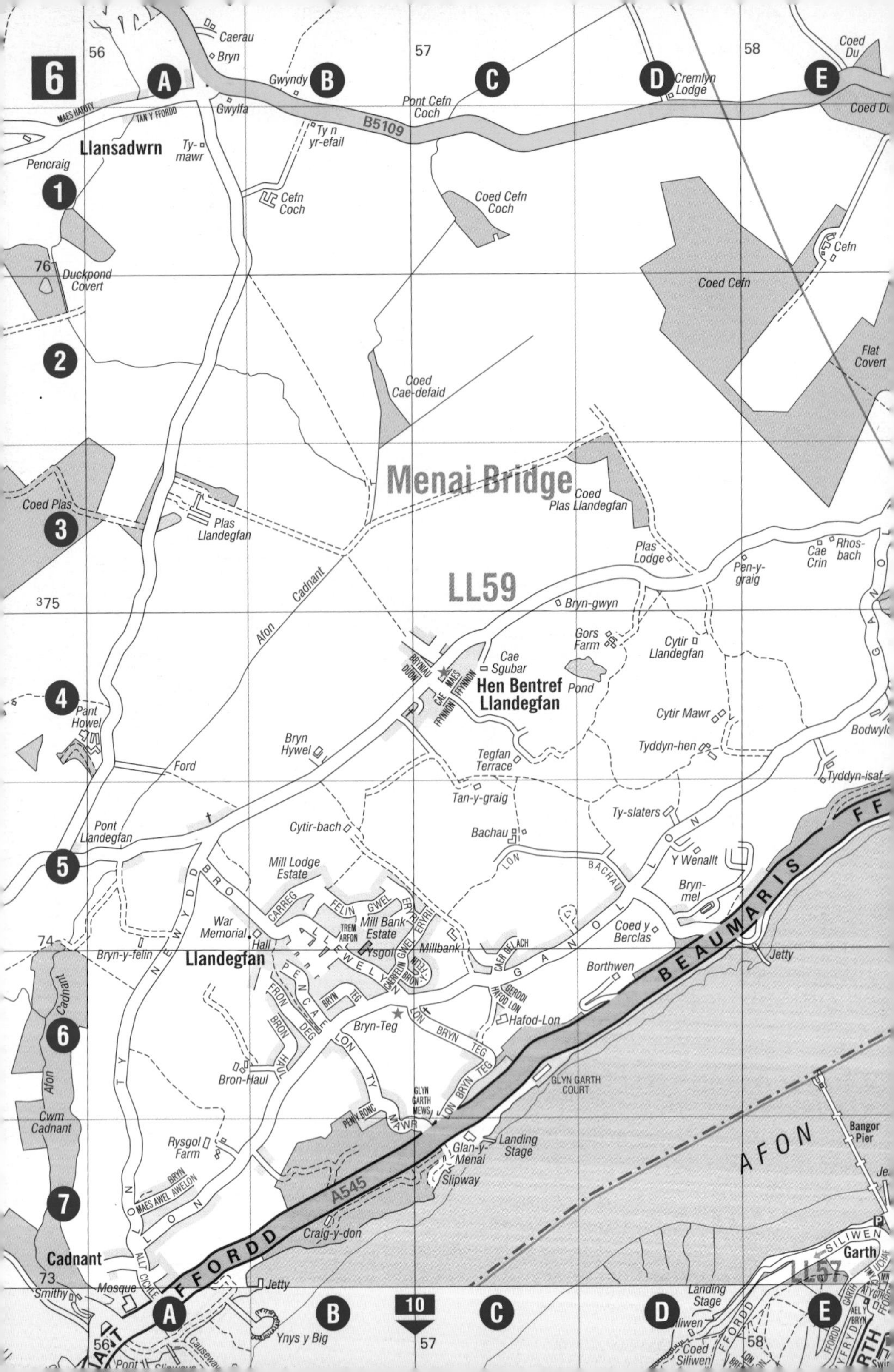
6
56
57
58
A
B
C
D
E
Caerau
Bryn
Gwyndy
Cremlyn Lodge
Coed Du
Coed Du
MAES HAFOTY
TAN Y FFORDD
Gwylfa
Pont Cefn Coch
Ty n yr-efail
B5109
Llansadwrn
Ty-mawr
Pencraig
1
Cefn Coch
Coed Cefn Coch
Cefn
76
Duckpond Covert
Coed Cefn
2
Flat Covert
Coed Cae-defaid
Menai Bridge
Coed Plas
3
Plas Llandegfan
Coed Plas Llandegfan
Plas Lodge
Pen-y-graig
Cae Crin
Rhos-bach
LL59
375
Afon Cadnant
Bryn-gwyn
Gors Farm
Cytir Llandegfan
BRYNIAU DUON
MAES FFYNNON
CAE FFYNNON
Cae Sgubar
Hen Bentref Llandegfan
Pond
4
Pant Howel
Cytir Mawr
Bodwyl
Bryn Hywel
Tyddyn-hen
Tegfan Terrace
Ford
Tyddyn-isaf
Tan-y-graig
Ty-slaters
Pont Llandegfan
Cytir-bach
Bachau
5
LON BACHAU
Y Wenallt
Mill Lodge Estate
BRO
CARREG
FELIN
GWEL
ERYRI
Bryn-mel
War Memorial
Hall
TREM ARFON
Mill Bank Estate
Ysgol
Millbank
Coed y Berclas
74
Bryn-y-felin
TY NEWYDD
Llandegfan
LLEWELYN
CAER DELYN
CAE'R ACH
GANOL
BEAUMARIS
Jetty
Borthwen
Cadnant
6
PEN CAE
FRON DEG
BRON HAUL
BRYN TEG
BRON-Y-FELIN
GERDDI HAFOD LON
Hafod-Lon
Bryn-Teg
LON BRYN TEG
LON TY MAWR
Afon
Bron-Haul
GLYN GARTH COURT
Cwm Cadnant
GLYN GARTH MEWS
PENY BONC
LON BRYN TEG
Rysgol Farm
Glan-y-Menai
Landing Stage
Bangor Pier
AFON
BRYN AWEL
MAES AWEL
AWELON
Slipway
A545
7
LON
Craig-y-don
FFORDD
Cadnant
ALLT CICHLE
73
Smithy
Mosque
Jetty
SILIWEN
Garth
LL57
Landing Stage
10
Siliwen
Coed Siliwen
Ynys y Big
Causeway
Pont
Slipway
56
57
58

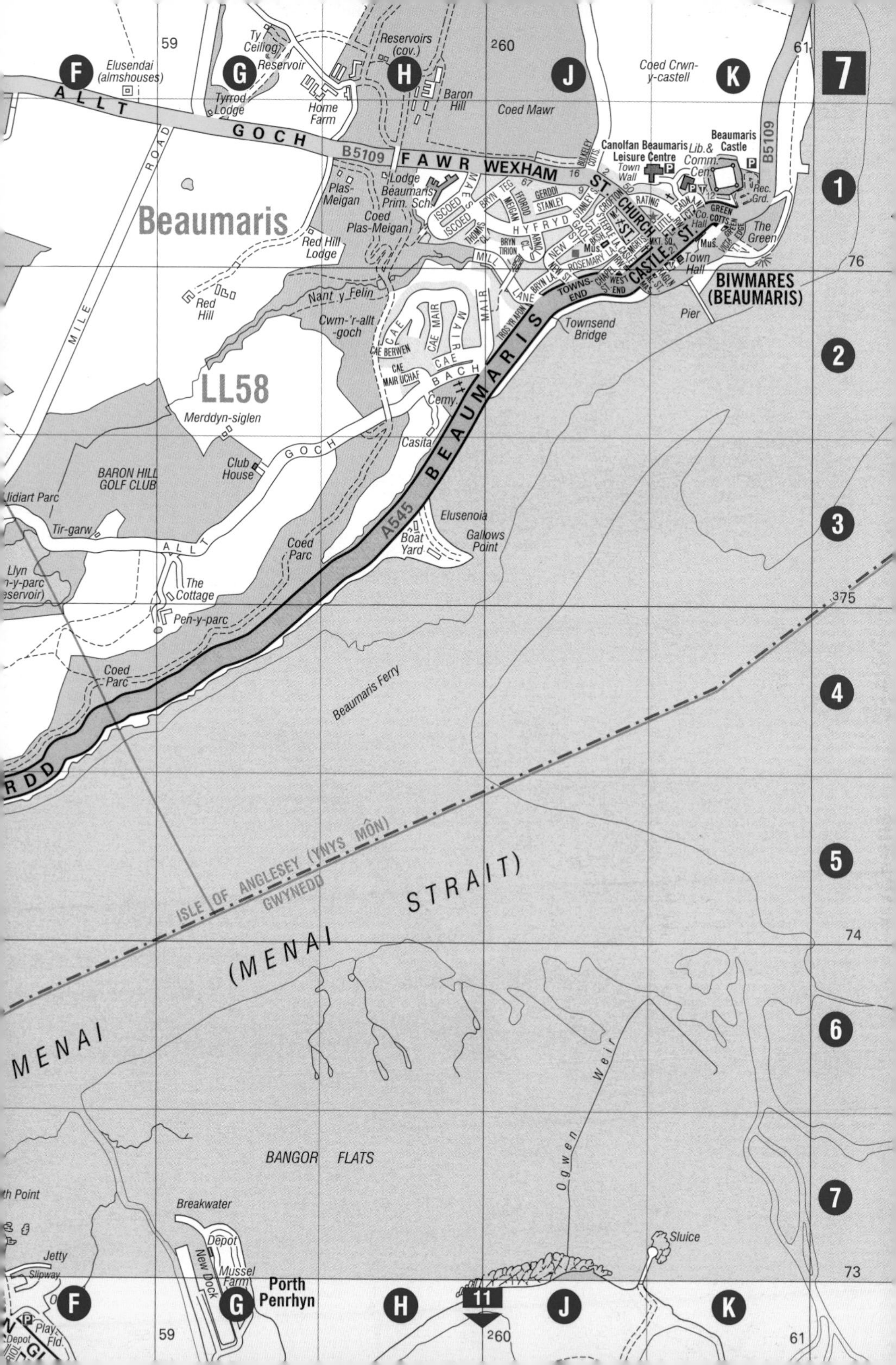
7
Beaumaris
LL58
BIWMARES (BEAUMARIS)
ALLT GOCH FAWR
WEXHAM
B5109
A545
BEAUMARIS
Elusendai (almshouses)
Ty Ceiliog
Reservoir
Reservoirs (cov.)
Tyrrod Lodge
Home Farm
Baron Hill
Coed Mawr
Coed Crwn-y-castell
Canolfan Beaumaris Leisure Centre
Lib.& Comm. Cen.
Beaumaris Castle
Town Wall
Rec. Grd.
The Green
Town Hall
Co. Hall
Mus.
Pier
Lodge
Plas-Meigan
Beaumaris Prim. Sch.
Coed Plas-Meigan
Red Hill Lodge
Red Hill
Nant y Felin
Cwm-'r-allt-goch
Townsend Bridge
Cemy.
Casita
Merrddyn-siglen
Club House
BARON HILL GOLF CLUB
Llidiart Parc
Tir-garw
Coed Parc
Elusenoia
Gallows Point
Boat Yard
The Cottage
Pen-y-parc
Beaumaris Ferry
ISLE OF ANGLESEY (YNYS MÔN)
GWYNEDD
(MENAI STRAIT)
MENAI
BANGOR FLATS
Ogwen Weir
Sluice
Breakwater
Depot
New Dock
Mussel Farm
Porth Penrhyn
Jetty
Slipway
Play. Fld.
Depot
11
59
260
61
76
375
74
73
1
2
3
4
5
6
7
F
G
H
J
K

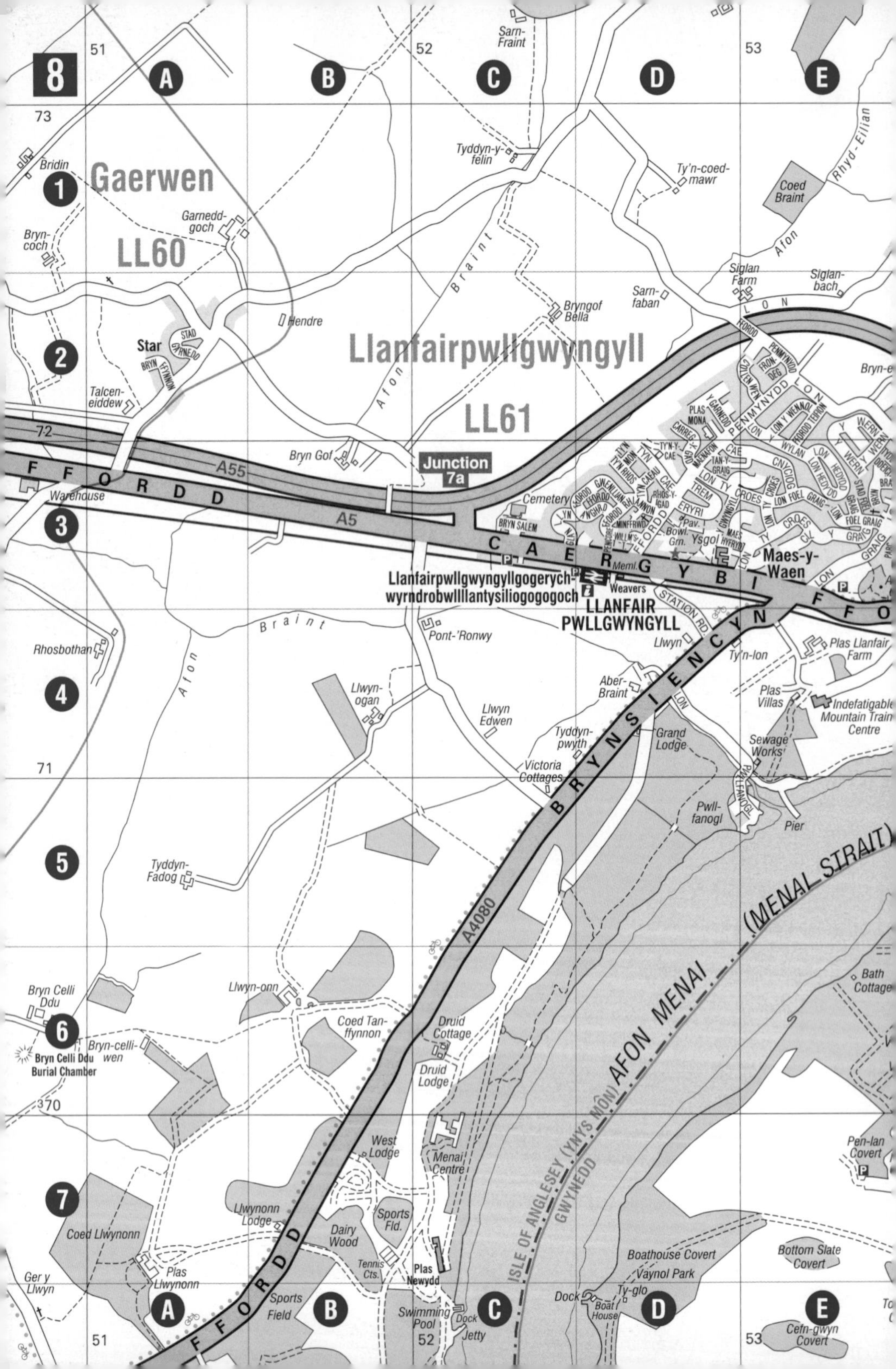

A
B
C
D
E
51
52
53
73
72
71
70
1
2
3
4
5
6
7
Gaerwen
LL60
Llanfairpwllgwyngyll
LL61
Sarn-Fraint
Bridin
Garnedd-goch
Bryn-coch
Tyddyn-y-felin
Ty'n-coed-mawr
Coed Braint
Rhyd-Eilian
Afon
Siglan Farm
Siglan-bach
Sarn-faban
Bryngof Bella
Hendre
Star
STAD GARNEDD
BRYN FFYNNON
Talcen-eiddew
Afon Braint
Bryn Gof
Junction 7a
A55
A5
FFORDD
Warehouse
Cemetery
BRYN SALEM
CAERGYBI
Meml.
Llanfairpwllgwyngyllgogerych-wyrndrobwllllantysiliogogogoch
Weavers
LLANFAIR PWLLGWYNGYLL
STATION RD.
Ysgol
Bowl. Grn.
Pav.
Maes-y-Waen
PLAS MONA
PENMYNYDD
LON
FFORDD
Bryn-e
Rhosbothan
Pont-'Ronwy
Llwyn
Ty'n-lon
Plas Llanfair Farm
Aber-Braint
Llwyn-ogan
Llwyn Edwen
Plas Villas
Indefatigable Mountain Train Centre
Tyddyn-pwyth
Grand Lodge
Sewage Works
Victoria Cottages
BRYNSIENCYN
Pwll-fanogl
PWLLFANOGL
Pier
(MENAI STRAIT)
Tyddyn-Fadog
A4080
AFON MENAI
Bath Cottage
Bryn Celli Ddu
Llwyn-onn
Coed Tan-ffynnon
Druid Cottage
Druid Lodge
Bryn-celli-wen
Bryn Celli Ddu Burial Chamber
ISLE OF ANGLESEY (YNYS MON)
GWYNEDD
West Lodge
Menai Centre
Pen-lan Covert
Llwynonn Lodge
Coed Llwynonn
Sports Fld.
Dairy Wood
Tennis Cts.
Plas Newydd
Plas Llwynonn
Boathouse Covert
Vaynol Park
Bottom Slate Covert
Ger y Llwyn
Sports Field
Swimming Pool
Dock
Jetty
Ty-glo
Boat House
Cefn-gwyn Covert

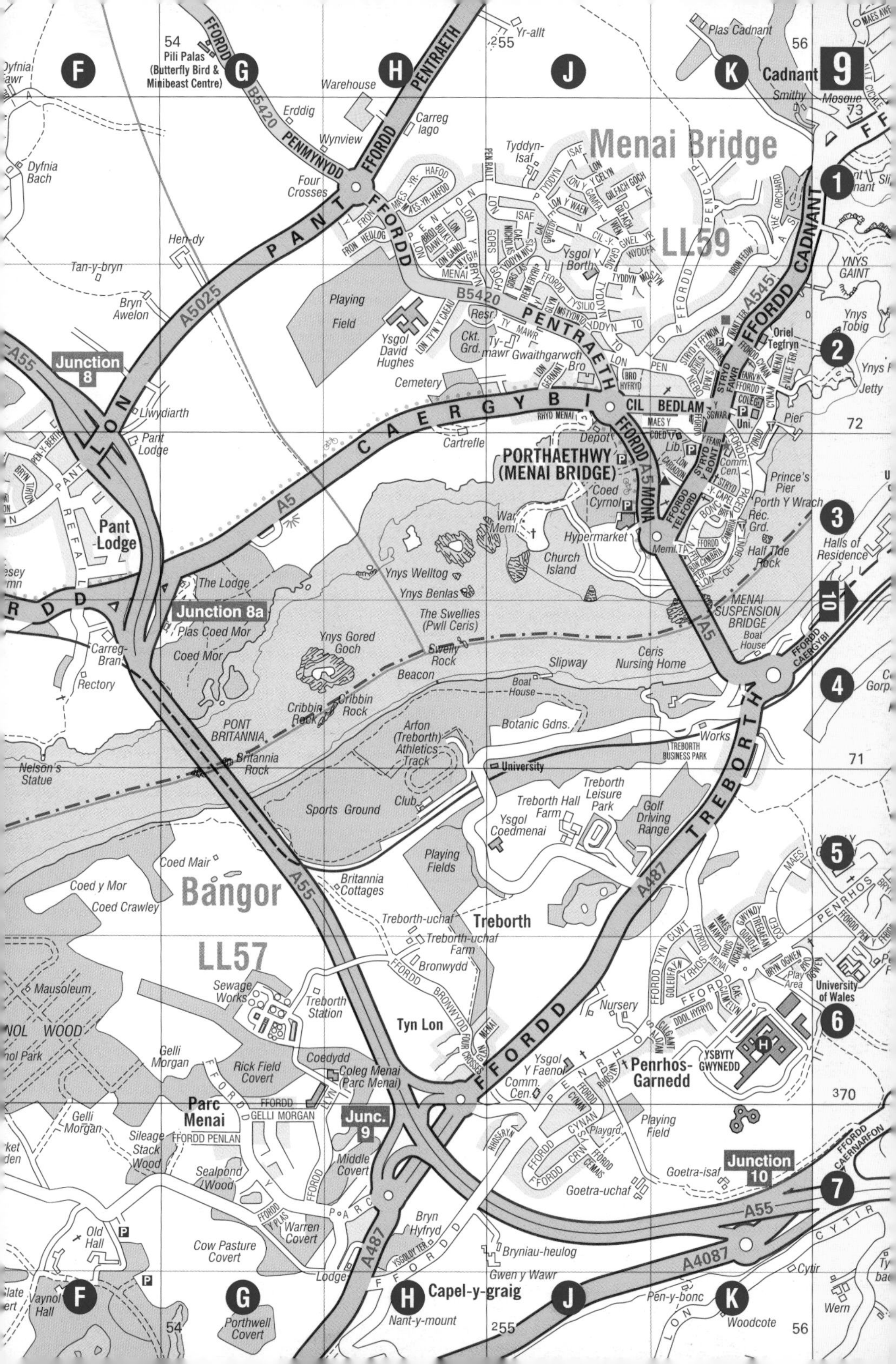

9
Menai Bridge
LL59
PORTHAETHWY (MENAI BRIDGE)
Bangor
LL57
Cadnant
Pili Palas (Butterfly Bird & Minibeast Centre)
Yr-allt
Plas Cadnant
Warehouse
Erddig
Carreg Iago
Wynview
Four Crosses
Dyfnia Bach
Hen-dy
Tan-y-bryn
Bryn Awelon
Junction 8
Llwydiarth
Pant Lodge
Junction 8a
The Lodge
Plas Coed Mor
Coed Mor
Carreg-Bran
Rectory
Playing Field
Ysgol David Hughes
Ysgol Y Borth
Cemetery
Cartrefle
Ckt. Grd.
Resr.
Ty-mawr
Gwaithgarwch
Depot
Coed Cyrnol
Hypermarket
War Meml.
Church Island
Ynys Welltog
Ynys Benlas
The Swellies (Pwll Ceris)
Ynys Gored Goch
Swelly Rock
Beacon
Cribbin Rock
PONT BRITANNIA
Britannia Rock
Nelson's Statue
Slipway
Ceris Nursing Home
Boat House
Botanic Gdns.
Arfon (Treborth) Athletics Track
University
Works
TREBORTH BUSINESS PARK
Sports Ground
Club
Treborth Hall Farm
Treborth Leisure Park
Golf Driving Range
Ysgol Coedmenai
Playing Fields
MENAI SUSPENSION BRIDGE
Prince's Pier
Porth Y Wrach
Halls of Residence
Half Tide Rock
Rec. Grd.
Pier
Jetty
Oriel Tegfryn
Ynys Gaint
Ynys Tobig
Uni.
Lib.
Comm. Cen.
Smithy
Mosque
Coed Mair
Coed y Mor
Coed Crawley
Britannia Cottages
Treborth-uchaf
Treborth-uchaf Farm
Treborth
Bronwydd
Mausoleum
Sewage Works
Treborth Station
Tyn Lon
Nursery
Ysgol Y Faenol
Comm. Cen.
Penrhos-Garnedd
YSBYTY GWYNEDD
University of Wales
Play Area
Playing Field
Playgrd.
Goetra-isaf
Goetra-uchaf
Junction 10
Gelli Morgan
Rick Field Covert
Coedydd
Coleg Menai (Parc Menai)
Parc Menai
Junc. 9
Sileage Stack Wood
Sealpond Wood
Middle Covert
Warren Covert
Cow Pasture Covert
Old Hall
Vaynol Hall
Porthwell Covert
Bryn Hyfryd
Bryniau-heulog
Gwen y Wawr
Capel-y-graig
Nant-y-mount
Lodge
Pen-y-bonc
Woodcote
Cytir
Wern
A55
A5
A5025
B5420
A545
A487
A4087
PANT
LON
CAERGYBI
PENTRAETH
FFORDD CADNANT
MONA
TREBORTH
FFORDD
CIL BEDLAM
F
G
H
J
K
1
2
3
4
5
6
7
10
54
55
56
255
370
71
72
73

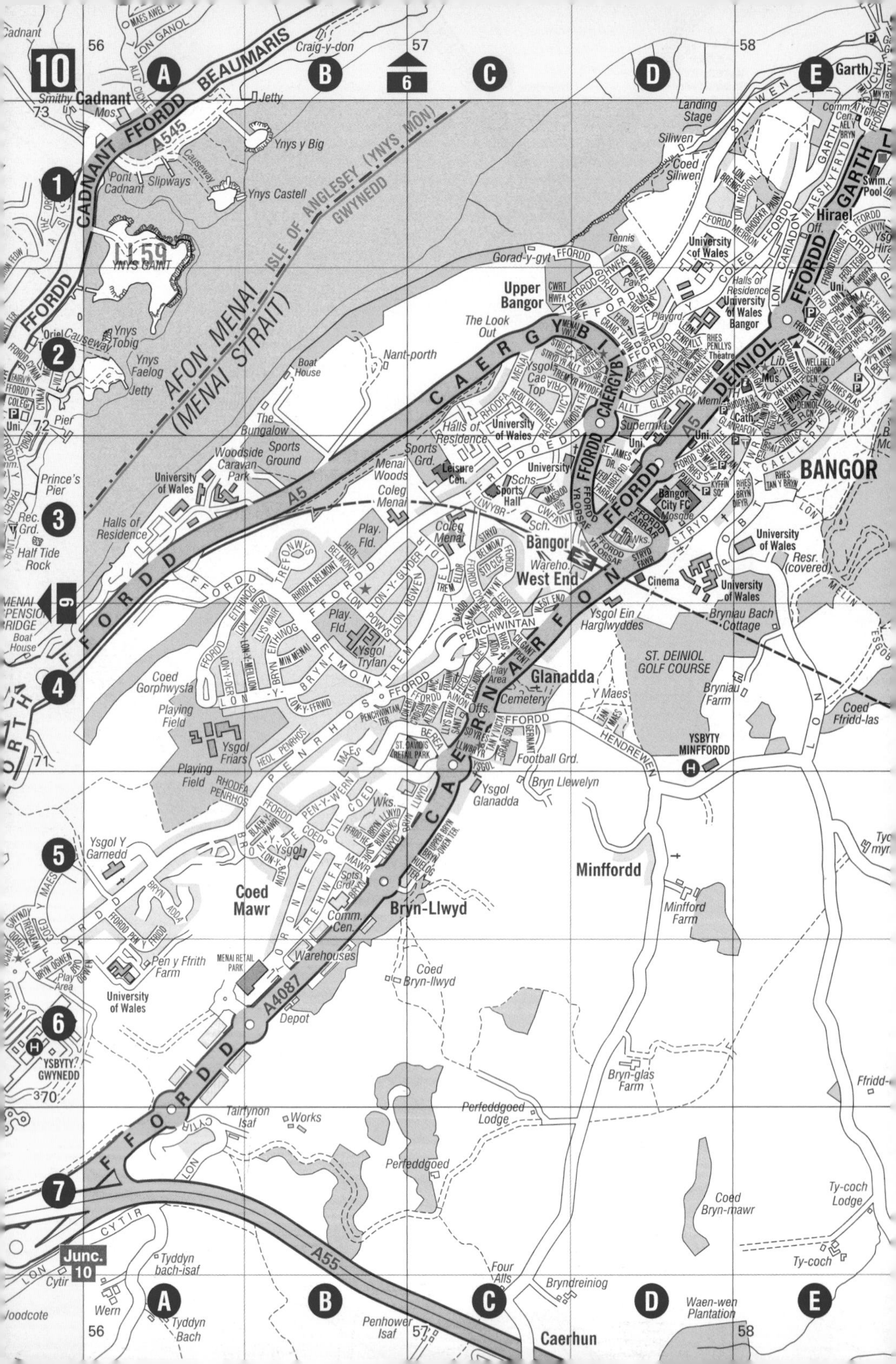
10
56
57
58
A
B
C
D
E
1
2
3
4
5
6
7
6
9
73
72
71
370
Cadnant
Smithy
Mos.
FFORDD BEAUMARIS
A545
CADNANT
FFORDD
Craig-y-don
Jetty
Ynys y Big
Causeway
Pont Cadnant
Slipways
Ynys Castell
LL59
YNYS GAINT
ISLE OF ANGLESEY (YNYS MÔN)
GWYNEDD
AFON MENAI (MENAI STRAIT)
Oriel
Causeway
Ynys Tobig
Ynys Faelog
Jetty
Uni.
Pier
Prince's Pier
Rec. Grd.
Half Tide Rock
MENAI SUSPENSION BRIDGE
Boat House
Garth
Landing Stage
Siliwen
Coed Siliwen
SILIWEN
Comm. Cen.
Swim. Pool
Hirael
Off.
FFORDD GARTH
Tennis Cts.
University of Wales
Halls of Residence
University of Wales Bangor
Gorad-y-gyt
Upper Bangor
The Look Out
Nant-porth
Boat House
The Bungalow
Sports Ground
Woodside Caravan Park
University of Wales
Halls of Residence
FFORDD CAERGYBI
A5
Ysgol Cae Top
University of Wales
Halls of Residence
Sports Grd.
Leisure Cen.
Menai Woods
Coleg Menai
University
Schs.
Sports Hall
Sch.
Playgrd.
Theatre
Lib.
Mus.
Cath.
Supermkt.
Uni.
Meml.
FFORDD DEINIOL
FFORDD CAERGYBI
FFORDD YR ORSAF
FFORDD FARRAR
Bangor City FC
Mosque
Wks.
BANGOR
University of Wales
Resr. (covered)
Play. Fld.
Coleg Menai
Bangor
Wareho.
West End
Cinema
University of Wales
Ysgol Ein Harglwyddes
Bryniau Bach Cottage
ST. DEINIOL GOLF COURSE
Play. Fld.
Ysgol Tryfan
PENCHWINTAN
FFORDD CAERNARFON
Glanadda
Play Area
Cemetery
Offs.
Y Maes
Bryniau Farm
Coed Ffridd-las
Coed Gorphwysfa
Playing Field
Ysgol Friars
Playing Field
ST. DAVID'S RETAIL PARK
Football Grd.
Bryn Llewelyn
YSBYTY MINFFORDD
HENDREWEN
Ysgol Glanadda
Ysgol Y Garnedd
Ysgol
Wks.
Minffordd
Coed Mawr
Spts. Grd.
Comm. Cen.
Bryn-Llwyd
Minfford Farm
Warehouses
MENAI RETAIL PARK
Pen y Ffrith Farm
Play Area
University of Wales
Coed Bryn-llwyd
A4087
Depot
YSBYTY GWYNEDD
FFORDD PENRHOS
Bryn-glas Farm
Tairfynon Isaf
Works
Perfeddgoed Lodge
Perfeddgoed
Coed Bryn-mawr
Ty-coch Lodge
Ty-coch
A55
Junc. 10
Cytir
Tyddyn bach-isaf
Wern
Tyddyn Bach
Woodcote
Four Alls
Bryndreiniog
Penhower Isaf
Caerhun
Waen-wen Plantation

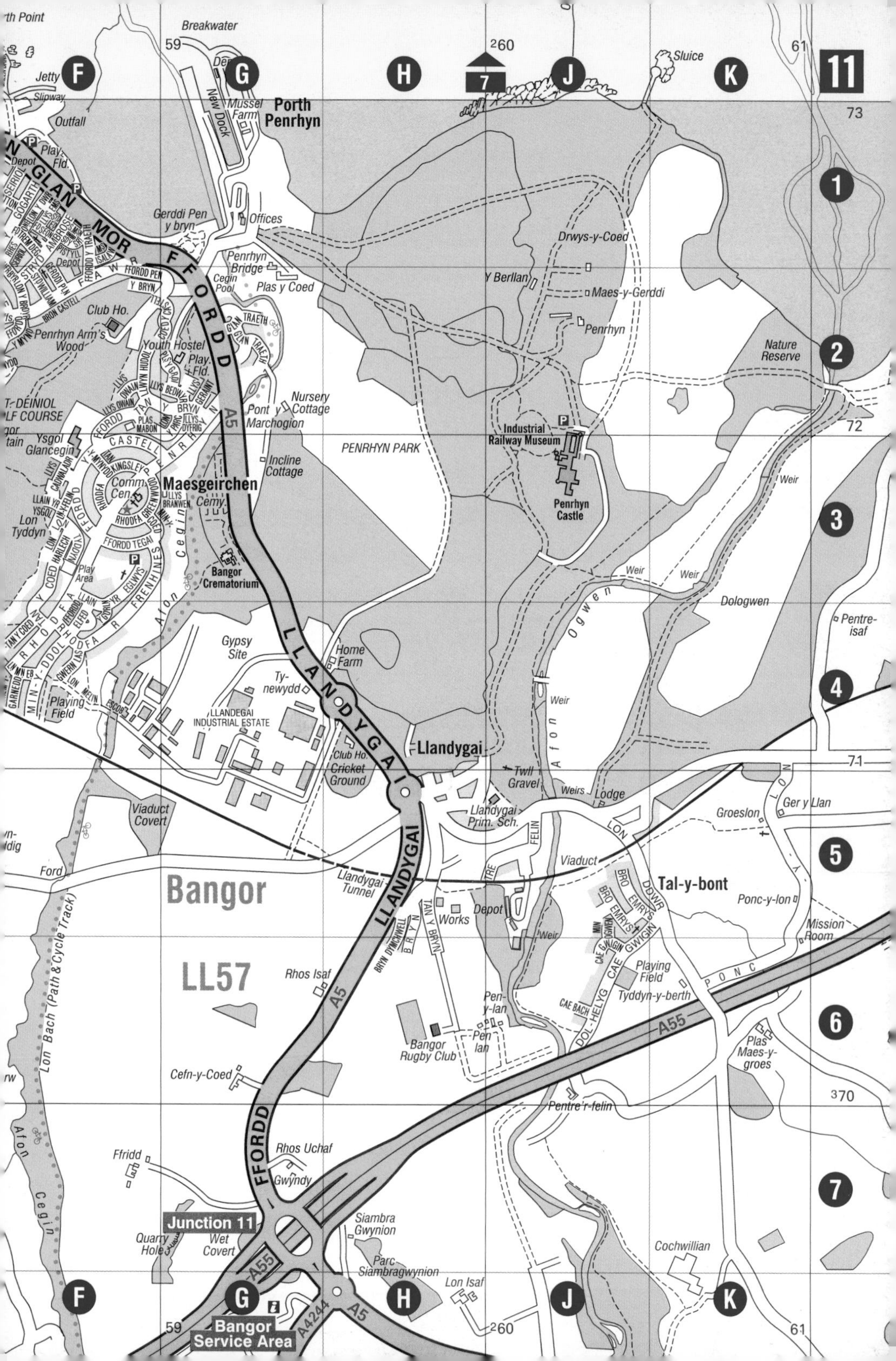
11
7
F
G
H
J
K
1
2
3
4
5
6
7
59
260
61
73
72
71
370
Breakwater
Jetty
Slipway
Outfall
Sluice
Porth Penrhyn
Mussel Farm
New Dock
Offices
Gerddi Pen y bryn
Penrhyn Bridge
Cegin Pool
Plas y Coed
Club Ho.
Penrhyn Arm's Wood
Youth Hostel
Play. Fld.
Nursery Cottage
Pont y Marchogion
Incline Cottage
PENRHYN PARK
Drwys-y-Coed
Y Berllan
Maes-y-Gerddi
Penrhyn
Nature Reserve
Industrial Railway Museum
Penrhyn Castle
Weir
Dologwen
Pentre-isaf
Afon Ogwen
Maesgeirchen
Ysgol Glancegin
Comm. Cen.
Cemy.
Bangor Crematorium
Afon Cegin
Play Area
Gypsy Site
Home Farm
Ty-newydd
LLANDEGAI INDUSTRIAL ESTATE
Playing Field
Llandygai
Club Ho.
Cricket Ground
Twll Gravel
Weirs
Lodge
Llandygai Prim. Sch.
Groeslon
Ger y Llan
Viaduct Covert
Ford
Bangor
Llandygai Tunnel
Viaduct
Tal-y-bont
Ponc-y-lon
Mission Room
Works
Depot
LL57
Rhos Isaf
Playing Field
Tyddyn-y-berth
Pen-y-lan
Pen lan
Bangor Rugby Club
Plas Maes-y-groes
Cefn-y-Coed
Pentre'r-felin
Lon Bach (Path & Cycle Track)
Rhos Uchaf
Ffridd
Gwyndy
Junction 11
Siambra Gwynion
Quarry Hole
Wet Covert
Parc Siambragwynion
Cochwillian
Lon Isaf
Bangor Service Area
FFORDD LLANDYGAI
A5
A55
A4244
GLAN MOR
FFORDD

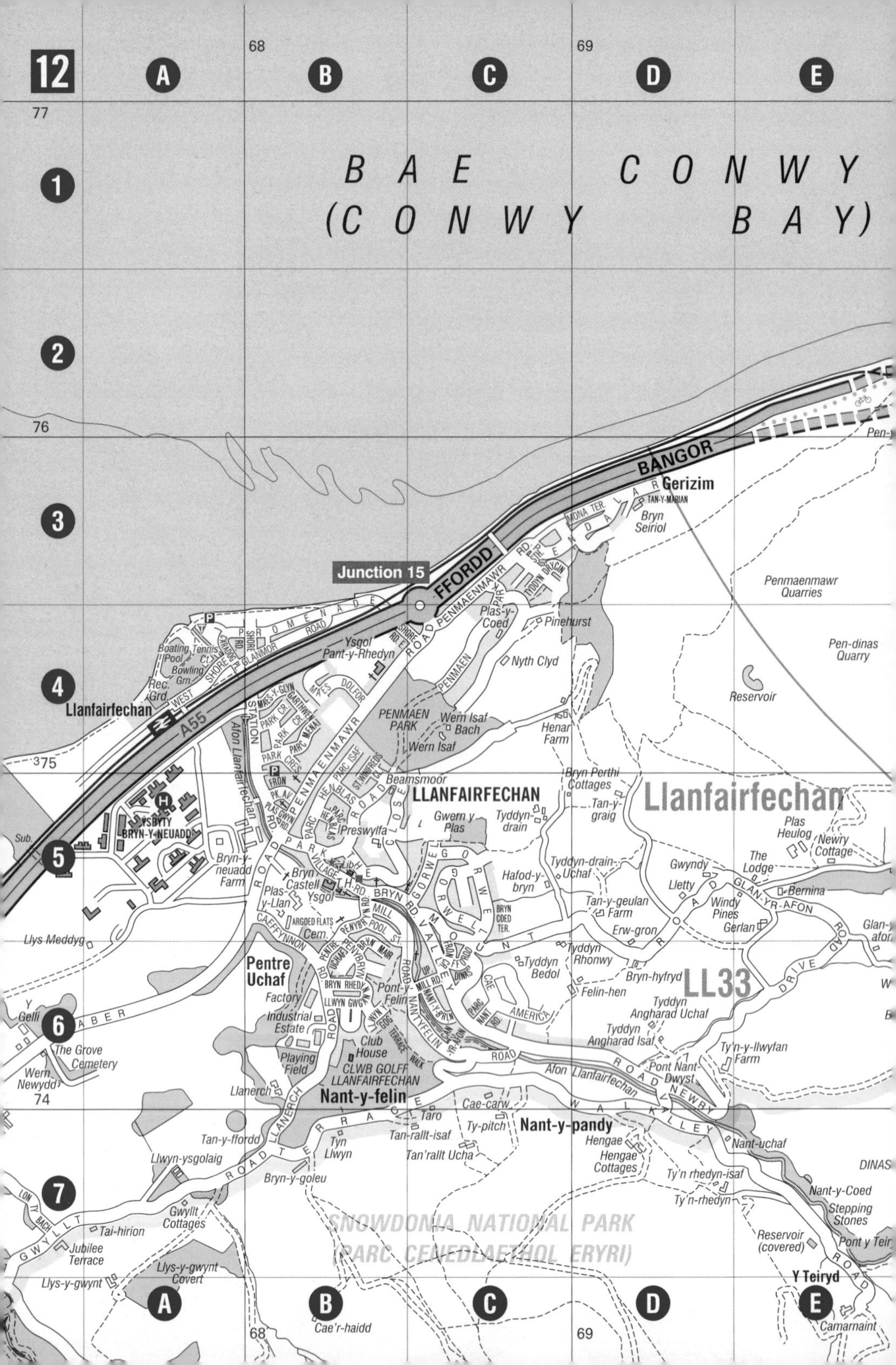
A
B
C
D
E
1
2
3
4
5
6
7
68
69
77
76
375
74
BAE CONWY
(CONWY BAY)
BANGOR
FFORDD
Junction 15
A55
Gerizim
TAN-Y-MARIAN
Bryn Seiriol
MONA TER.
Penmaenmawr Quarries
Pen-dinas Quarry
Reservoir
Pinehurst
Plas-y-Coed
Nyth Clyd
Ysgol Pant-y-Rhedyn
PROMENADE
SHORE RD.
GLANMOR
Boating Pool
Tennis Ct.
Bowling Grn.
Rec. Grd.
Llanfairfechan
WEST SHORE
STATION
MAES-Y-GLYN
GARTHWEN
MAES DOLFOR
PARK CR.
PARK CRES.
PARC MENAI
PENMAENMAWR
PENMAEN PARK
Wern Isaf Bach
Wern Isaf
Henar Farm
Afon Llanfairfechan
FRON
PLAS GWYN RD.
PARC ISAF
ST. WINIFREDS CL.
Beamsmoor
LLANFAIRFECHAN
Bryn Perthi Cottages
Tan-y-graig
Llanfairfechan
YSBYTY BRYN-Y-NEUADD
H
Sub.
Bryn-y-neuadd Farm
Gwern y Plas
Tyddyn-drain
Preswylfa
HEN BLAS
PARK
VILLAGE
Lib.
T.H.
Bryn Castell
Ysgol
Plas-y-Llan
GORWEL
BRYN RD.
MILL RD.
POOL ST.
Hafod-y-bryn
BRYN COED TER.
Tyddyn-drain-Uchaf
Tan-y-geulan Farm
Erw-gron
Gwyndy
Lletty
Windy Pines
Gerlan
The Lodge
Plas Heulog
Newry Cottage
Bernina
GLAN-YR-AFON ROAD
Glan-y-afon
DRIVE
Llys Meddyg
ARGOED FLATS
Cem.
CAEFFYNNON
Pentre Uchaf
PENTRE UCHAF RD.
BRYN MAIR
BRYN RHEDYN
LLWYN GWGAN
Tyddyn Bedol
Tyddyn Rhonwy
Felin-hen
Bryn-hyfryd
LL33
Tyddyn Angharad Uchaf
Tyddyn Angharad Isaf
CAE AMERICA
PARC NANT RD.
Factory
Industrial Estate
Pont-y-Felin
NANTYFELIN
Club House
Playing Field
CLWB GOLFF LLANFAIRFECHAN
TERRACE WALK
ROAD
Afon Llanfairfechan
Ty'n-y-llwyfan Farm
Pont Nant Dwyst
NEWRY
VALLEY ROAD
Y Gelli
ABER
The Grove Cemetery
Wern Newydd
Llanerch
Nant-y-felin
TERRACE ROAD
Cae-carw
Taro
Tan-rallt-isaf
Tyn Llwyn
Ty-pitch
Tan'rallt Ucha
Nant-y-pandy
Hengae
Hengae Cottages
Nant-uchaf
DINAS
Tan-y-ffordd
Llwyn-ysgolaig
LLANERCH ROAD
Bryn-y-goleu
Ty'n rhedyn-isaf
Ty'n-rhedyn
Nant-y-Coed
Stepping Stones
LON TY BACH
GWYLLT
Gwyllt Cottages
Tai-hirion
Jubilee Terrace
SNOWDONIA NATIONAL PARK
(PARC CENEDLAETHOL ERYRI)
Reservoir (covered)
Pont y Teir
Llys-y-gwynt Covert
Llys-y-gwynt
Y Teiryd
Cae'r-haidd
Camarnaint

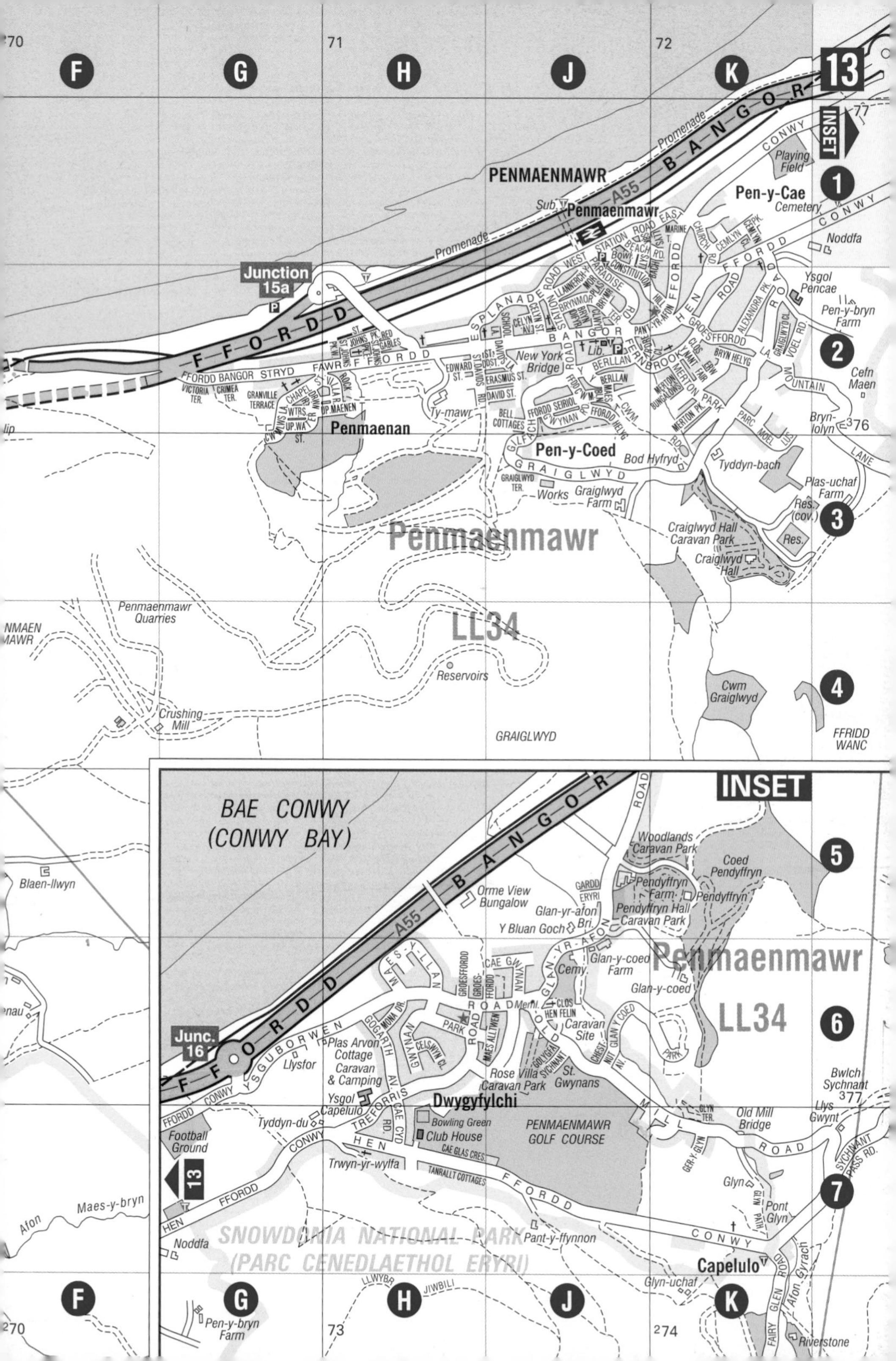
270
71
72
F
G
H
J
K
13
INSET
77
1
2
3
4
5
6
7
PENMAENMAWR
Penmaenmawr
Pen-y-Cae
Cemetery
Playing Field
Promenade
A55
BANGOR
CONWY
FFORDD
Junction 15a
Sub.
STATION ROAD WEST
EAST
ESPLANADE
CHURCH RD.
HEN FFORDD CONWY
GROESFFORDD
ALEXANDRA PK.
Noddfa
Ysgol Pencae
Pen-y-bryn Farm
Cefn Maen
MOUNTAIN LA.
Brynlolyn
376
LANE
PARC MOEL LUS
Tyddyn-bach
Plas-uchaf Farm
Res. (cov.)
Res.
FFORDD BANGOR STRYD FAWR
VICTORIA TER.
CRIMEA TER.
GRANVILLE TERRACE
CHAPEL
UP. MAENEN
Penmaenan
Ty-mawr
New York Bridge
Lib.
BERLLAN
FERNBROOK
MERTON PARK
BRYN HELYG
EDWARD ST.
ST. DAVIDS RD.
ERASMUS ST.
DAVID ST.
BELL COTTAGES
FFORDD SEIRIOL
GWYNAN RD.
FFORDD HELYG
CWM
Pen-y-Coed
Bod Hyfryd
GRAIGLWYD
GRAIGLWYD TER.
Works
Graiglwyd Farm
Craiglwyd Hall Caravan Park
Craiglwyd Hall
Penmaenmawr
Penmaenmawr Quarries
PENMAEN MAWR
LL34
Reservoirs
Crushing Mill
Cwm Graiglwyd
GRAIGLWYD
FFRIDD WANC
Blaen-llwyn
BAE CONWY (CONWY BAY)
INSET
Woodlands Caravan Park
Coed Pendyffryn
Orme View Bungalow
GARDD ERYRI
Pendyffryn Farm
Pendyffryn
Pendyffryn Hall Caravan Park
Glan-yr-afon Bri.
Y Bluan Goch
GLAN-YR-AFON
Glan-y-coed Farm
Cemy.
Glan-y-coed
Penmaenmawr
LL34
MAES-Y-LLAN
CAE GWYNAN
GROESFFORDD
ROAD
Meml.
CLOS HEN FELIN
OLD
Caravan Site
GLAN Y COED
CHESTNUT AV.
PARK
Junc. 16
YSGUBOR WEN
Plas Arvon Cottage Caravan & Camping
GOGARTH AV.
GWYNAN
MONA DR.
MAES ALLTWEN
Llysfor
Rose Villa Caravan Park
St. Gwynans
Bwlch Sychnant
377
Llys Gwynt
Ysgol Capelulo
Dwygyfylchi
Tyddyn-du
TREFORRIS
Bowling Green
Club House
PENMAENMAWR GOLF COURSE
MILL ROAD
GLYN TER.
Old Mill Bridge
SYCHNANT PASS RD.
Football Ground
CAE GLAS CRES.
Trwyn-yr-wylfa
TANRALLT COTTAGES
GER-Y-GLYN
Glyn
Pont Glyn
GLYN PATH
Maes-y-bryn
Afon
Noddfa
SNOWDONIA NATIONAL PARK (PARC CENEDLAETHOL ERYRI)
Pant-y-ffynnon
Capelulo
Glyn-uchaf
Afon Gyrach
FAIRY GLEN ROAD
LLWYBR JIWBILI
Pen-y-bryn Farm
73
274
Riverstone

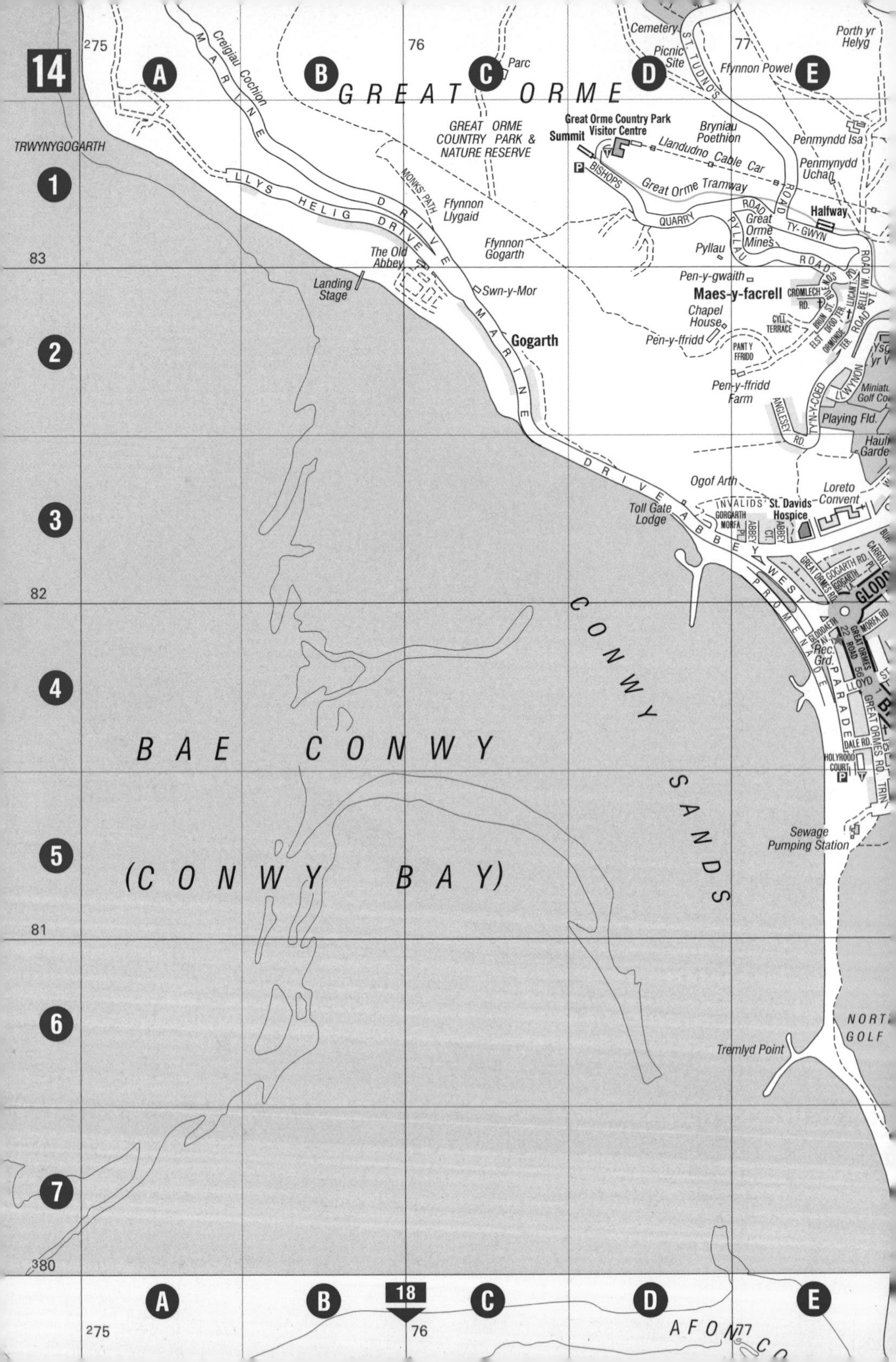

GREAT ORME
TRWYNYGOGARTH
Creigiau Cochion
MARINE DRIVE
LLYS HELIG DRIVE
GREAT ORME COUNTRY PARK & NATURE RESERVE
Parc
Cemetery
Picnic Site
ST TUDNO'S ROAD
Porth yr Helyg
Ffynnon Powel
Great Orme Country Park Visitor Centre
Summit
Bryniau Poethion
Llandudno Cable Car
Penmyndd Isa
Penmynydd Uchaf
BISHOPS QUARRY ROAD
Great Orme Tramway
Halfway
TY-GWYN ROAD
PYLLAU ROAD
Great Orme Mines
Pyllau
MONKS' PATH
Ffynnon Llygaid
Ffynnon Gogarth
The Old Abbey
Landing Stage
Swn-y-Mor
Gogarth
Pen-y-gwaith
Maes-y-facrell
CROMLECH RD.
Chapel House
CYLL TERRACE
Pen-y-ffridd
PANT Y FFRIDD
Pen-y-ffridd Farm
ANGLESEY RD.
TYN-Y-COED
LLWYNON
Playing Fld.
Miniature Golf Course
Ogof Arth
Loreto Convent
Toll Gate Lodge
INVALIDS' WALK
St. Davids Hospice
GORGARTH MORFA
ABBEY PL.
ABBEY CT.
ABBEY ROAD
WEST PROMENADE
GOGARTH RD.
GREAT ORMES RD.
GLODDAETH
MORFA RD.
Rec. Grd.
PARADE
LLOYD ST
GREAT ORMES RD.
DALE RD.
HOLYROOD COURT
Sewage Pumping Station
CONWY SANDS
BAE CONWY
(CONWY BAY)
Tremlyd Point
NORTH WALES GOLF
AFON CONWY
18
A B C D E
1 2 3 4 5 6 7
275 76 77
83 82 81 380

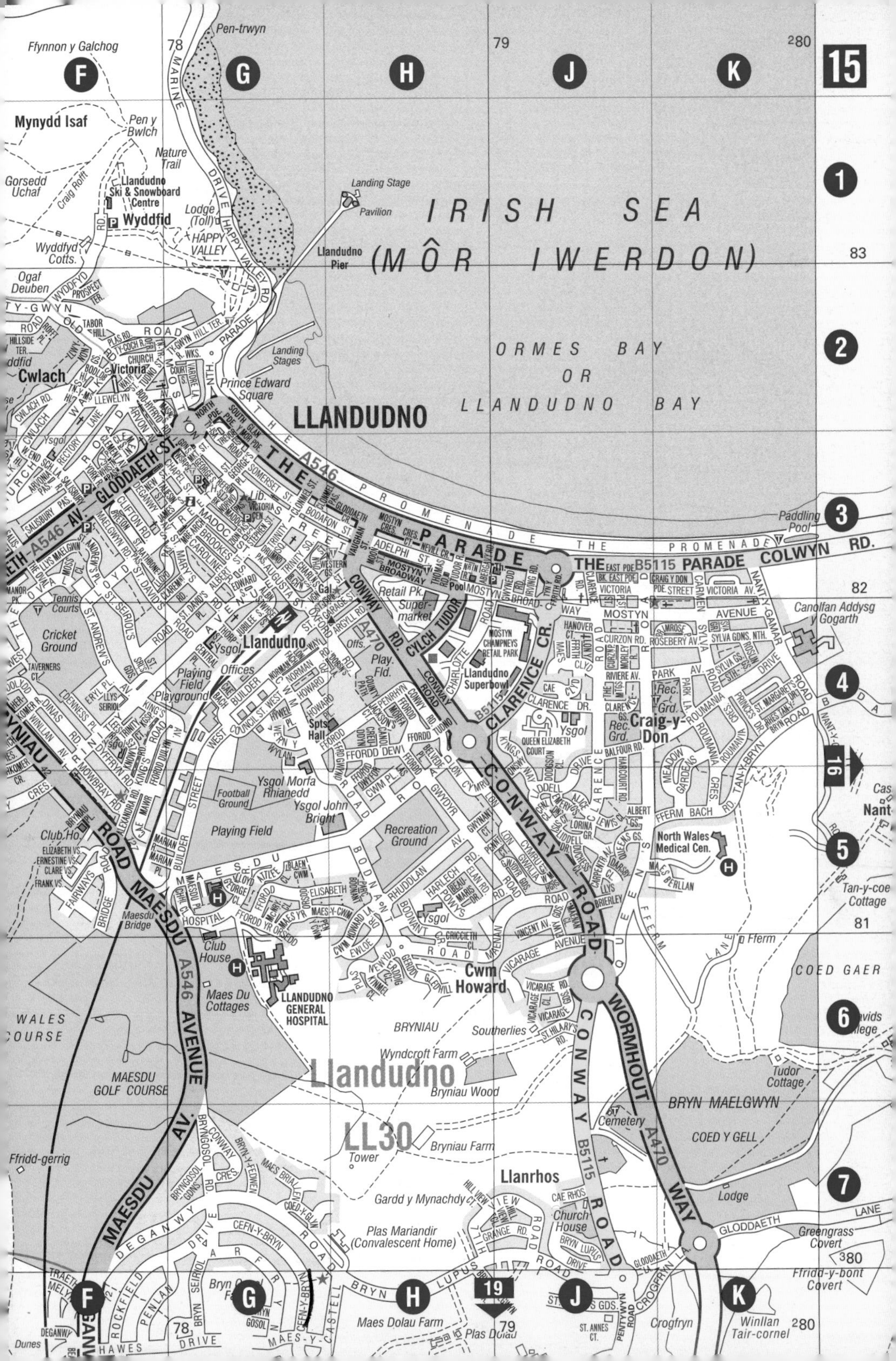
Pen-trwyn
Ffynnon y Galchog
F
G
H
J
K
78
79
280
Mynydd Isaf
Pen y Bwlch
Nature Trail
Gorsedd Uchaf
Craig Rofft
Llandudno Ski & Snowboard Centre
Wyddfid
Lodge (Toll)
HAPPY VALLEY
MARINE DRIVE
HAPPY VALLEY RD.
Wyddfyd Cotts.
Ogaf Deuben
Landing Stage
Pavilion
Llandudno Pier
IRISH SEA
(MÔR IWERDON)
83
ORMES BAY
OR
LLANDUDNO BAY
Landing Stages
Prince Edward Square
LLANDUDNO
Cwlach
Victoria
TY-GWYN ROAD
OLD ROAD
CHURCH WALKS
MOSTYN ST.
GLODDAETH ST.
GLODDAETH AV.
A546
THE PARADE
THE PROMENADE
Paddling Pool
THE B5115 PARADE
COLWYN RD.
82
1
2
3
4
5
6
7
Tennis Courts
Cricket Ground
Llandudno
Ysgol
Offices
Playing Field
Playground
Retail Pk.
Supermarket
Pool
CONWAY RD.
CYLCH TUDOR
MOSTYN CHAMPNEYS RETAIL PARK
Llandudno Superbowl
CLARENCE CR.
Play. Fld.
Spts Hall
Ysgol Morfa Rhianedd
Ysgol John Bright
Football Ground
Playing Field
Recreation Ground
MOSTYN AVENUE
VICTORIA
Canolfan Addysg y Gogarth
Craig-y-Don
Rec. Grd.
QUEEN ELIZABETH COURT
16
Cas
Nant
North Wales Medical Cen.
Tan-y-coed Cottage
81
Fferm
COED GAER
Club Ho.
MAESDU ROAD
Maesdu Bridge
HOSPITAL
Club House
Maes Du Cottages
LLANDUDNO GENERAL HOSPITAL
Cwm Howard
VICARAGE AVENUE
WORMHOUT WAY
A470
CONWAY ROAD
B5115
BRYNIAU
Southerlies
Wyndcroft Farm
Llandudno
Bryniau Wood
WALES COURSE
MAESDU GOLF COURSE
A546 AVENUE
MAESDU AV.
BRYN MAELGWYN
COED Y GELL
Tudor Cottage
Cemetery
LL30
Bryniau Farm
Tower
Ffridd-gerrig
Llanrhos
Lodge
Gardd y Mynachdy
Plas Mariandir (Convalescent Home)
Church House
GLODDAETH LANE
Greengrass Covert
380
Ffridd-y-bont Covert
DEGANWY
BRYN LUPUS ROAD
19
Maes Dolau Farm
Plas Dolau
Crogfryn
Winllan Tair-cornel
Dunes
HAWES DRIVE

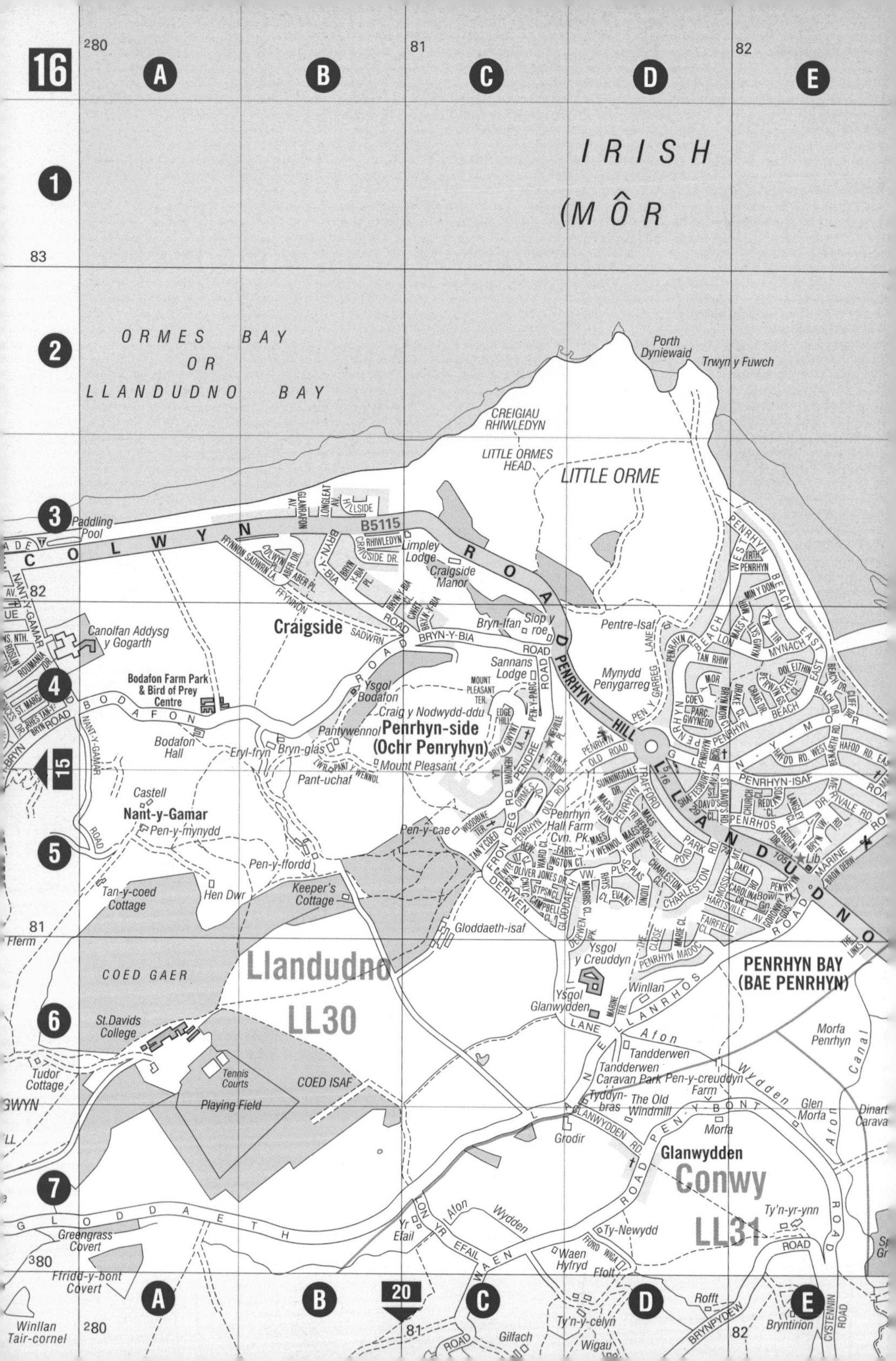
IRISH
(MÔR
ORMES BAY
OR
LLANDUDNO BAY
Porth Dyniewaid
Trwyn y Fuwch
CREIGIAU RHIWLEDYN
LITTLE ORMES HEAD
LITTLE ORME
Paddling Pool
COLWYN ROAD
B5115
GLANAFON AV.
LONGLEAT AV.
HILLSIDE
RHIWLEDYN
CRAIGSIDE DR.
Limpley Lodge
Craigside Manor
FFYNNON SADWRN LA.
COLWYN PL.
ABER DR.
ABER PL.
BRYN-Y-BIA
BRYN-Y-BIA PL.
BRYN-Y-BIA CL.
FFYNNON SADWRN ROAD
Canolfan Addysg y Gogarth
Craigside
BRYN-Y-BIA ROAD
Bryn-Ifan
Siop y roe
Sannans Lodge
Pentre-Isaf
PENRHYN HILL
Mynydd Penygarreg
PEN Y GARREG LANE
Bodafon Farm Park & Bird of Prey Centre
BODAFON ROAD
Ysgol Bodafon
MOUNT PLEASANT TER.
Craig y Nodwydd-ddu
Pantywennol
Penrhyn-side (Ochr Penryhyn)
Bodafon Hall
Eryl-fryn
Bryn-glas
Mount Pleasant
Pant-uchaf
Castell
Nant-y-Gamar
Pen-y-mynydd
NANT-Y-GAMAR ROAD
Pen-y-cae
Pen-y-ffordd
Keeper's Cottage
Tan-y-coed Cottage
Hen Dwr
Penrhyn Hall Farm Cvn. Pk.
OLD ROAD
LLANDUDNO ROAD
Gloddaeth-isaf
Llandudno
LL30
COED GAER
St.Davids College
Tudor Cottage
Tennis Courts
Playing Field
COED ISAF
Ysgol y Creuddyn
Ysgol Glanwydden
Winllan
LLANRHOS LANE
PENRHYN BAY (BAE PENRHYN)
Morfa Penrhyn
Afon Wydden
Tandderwen
Tandderwen Caravan Park
Pen-y-creuddyn Farm
Tyddyn-bras
The Old Windmill
PEN-Y-BONT ROAD
Glen Morfa
Morfa
Grodir
GLANWYDDEN RD
Glanwydden
Conwy
LL31
Ty'n-yr-ynn
GLODDAETH
Greengrass Covert
Ffridd-y-bont Covert
Yr Efail
LON YR EFAIL
WAEN ROAD
Ty-Newydd
Waen Hyfryd
Ffolt
Rofft
Ty'n-y-celyn
Gilfach
Wigau
BRYNPYDEW
Bryntirion
CYSTENNIN ROAD
Winllan Tair-cornel
MARINE ROAD
CHARLESTON RD.
TRAFFORD PARK ROAD
PENRHYN BEACH EAST
PENRHYN BEACH WEST
Lib

15

20

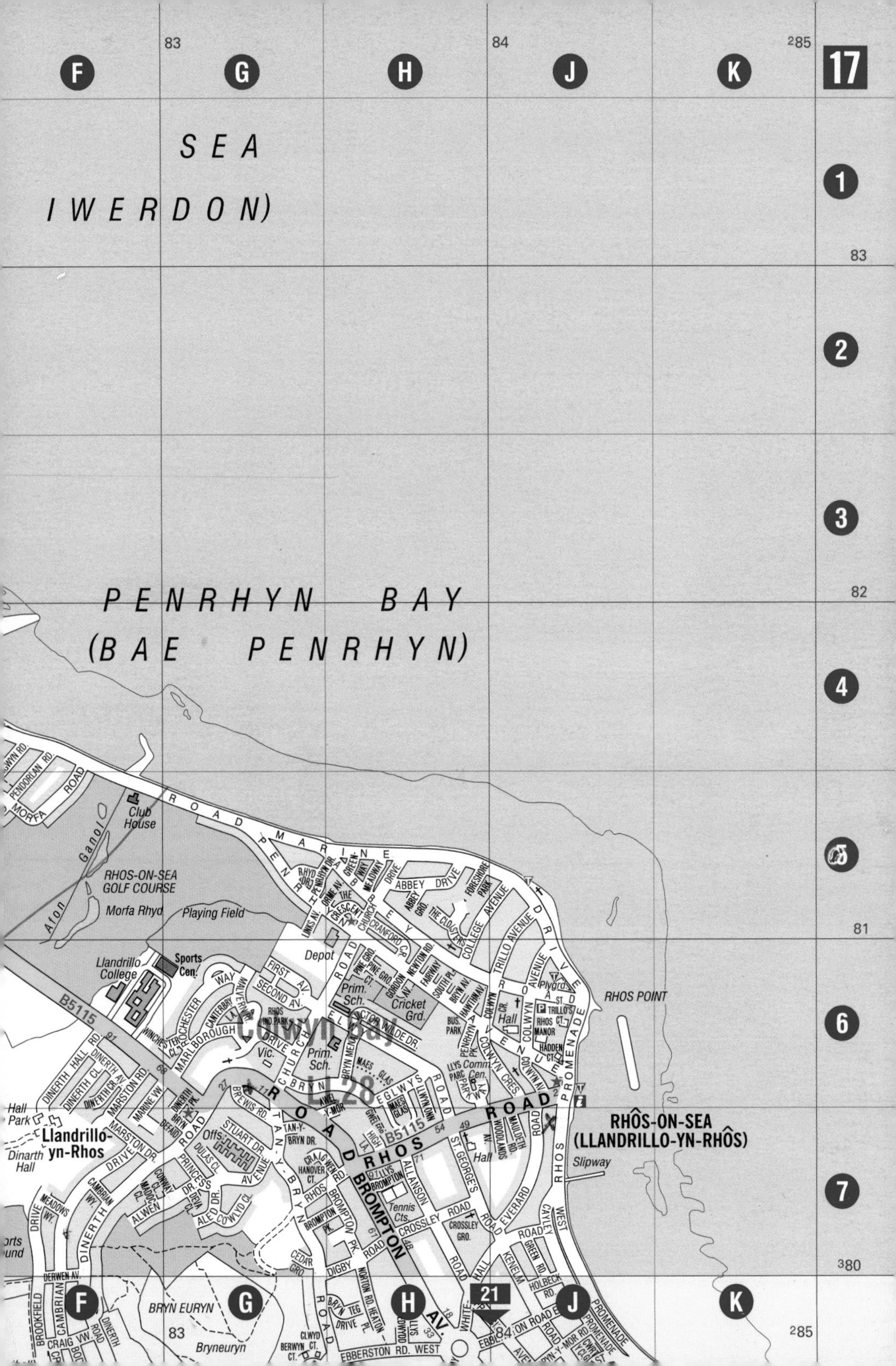
SEA
IWERDON)
PENRHYN BAY
(BAE PENRHYN)
F
G
H
J
K
83
84
285
1
2
3
4
5
6
7
83
82
81
380
RHOS-ON-SEA
GOLF COURSE
Morfa Rhyd
Playing Field
Club House
Afon Ganol
MARINE ROAD
PENRHYN AVENUE
ABBEY DRIVE
ABBEY ROAD
COLLEGE AVENUE
TRILLO AVENUE
MARINE DRIVE
RHOS POINT
Llandrillo College
Sports Cen.
Depot
Prim. Sch.
Cricket Grd.
Colwyn Bay
LL28
RHOS ROAD
B5115
BROMPTON AV.
RHÔS-ON-SEA
(LLANDRILLO-YN-RHÔS)
Slipway
RHOS PROMENADE
WEST PROMENADE
Llandrillo-yn-Rhos
Dinarth Hall
Hall Park
BRYN EURYN
Bryneuryn
Tennis Cts.
CROSSLEY ROAD
EVERARD ROAD
ST. GEORGE'S ROAD
ALLANSON ROAD
DIGBY ROAD
MARLBOROUGH DRIVE
DINERTH ROAD
CAMBRIAN DRIVE
PENDORLAN RD.
MORFA ROAD
EBBERSTON RD. WEST
21

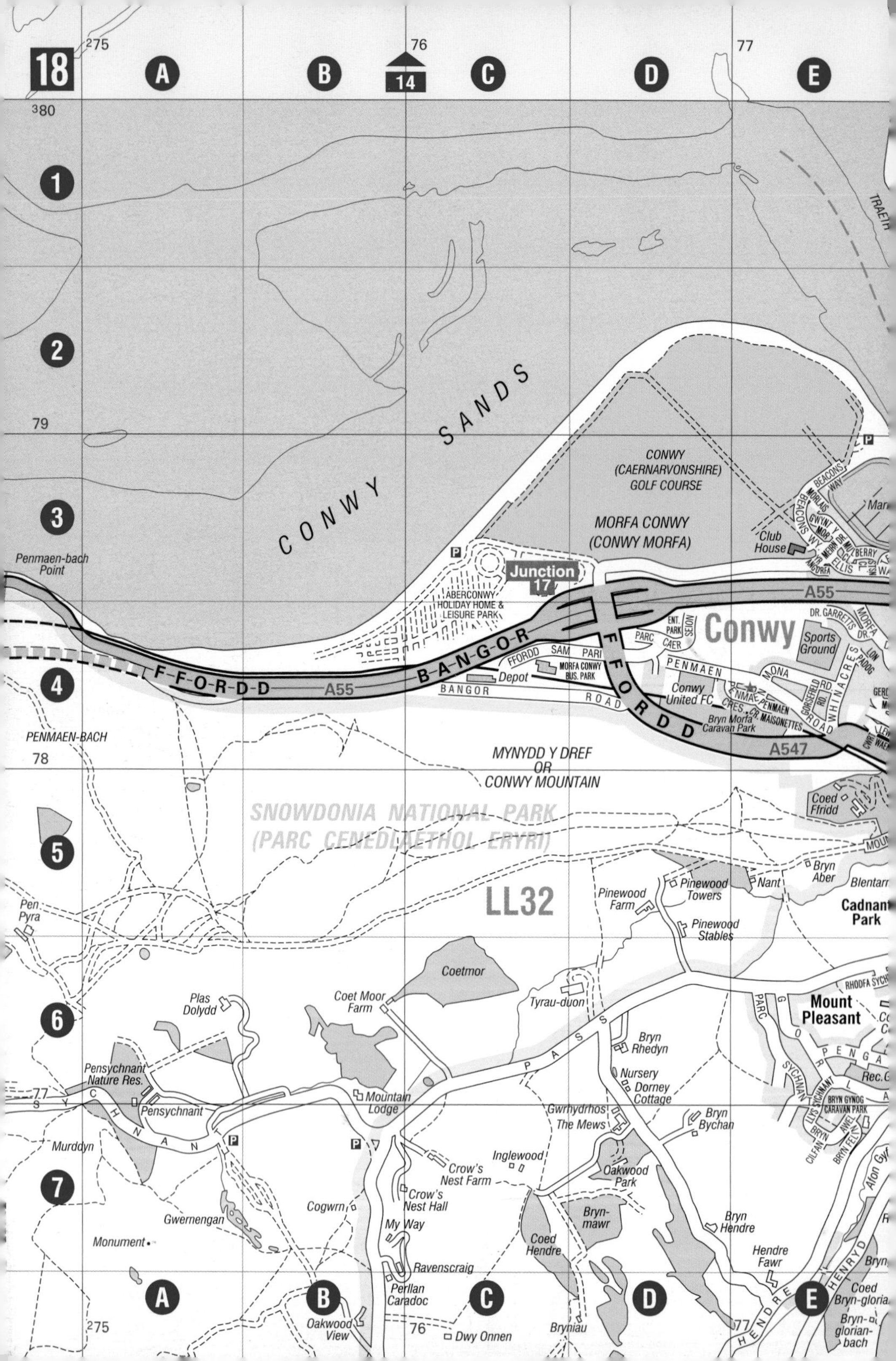

A
B
C
D
E
1
2
3
4
5
6
7
14
275
76
77
380
79
78
CONWY SANDS
CONWY (CAERNARVONSHIRE) GOLF COURSE
MORFA CONWY (CONWY MORFA)
Club House
BEACONS WAY
Penmaen-bach Point
Junction 17
ABERCONWY HOLIDAY HOME & LEISURE PARK
A55
FFORDD BANGOR
FFORDD SAM PARI
MORFA CONWY BUS. PARK
Depot
BANGOR ROAD
FFORDD
PARC CAER SEION
ENT. PARK
Conwy
Sports Ground
DR. GARRETTS DR.
MORFA
PENMAEN
MONA
Conwy United FC
PENMAEN CRES.
PENMAEN CR.
MAISONETTES
Bryn Morfa Caravan Park
GORSEFIELD RD.
WHINACRES
ROAD
LLON PADOG
A547
PENMAEN-BACH
MYNYDD Y DREF OR CONWY MOUNTAIN
SNOWDONIA NATIONAL PARK (PARC CENEDLAETHOL ERYRI)
LL32
Coed Ffridd
Bryn Aber
Nant
Blentarn
Cadnant Park
Pinewood Towers
Pinewood Farm
Pinewood Stables
Pen Pyra
Coetmor
Coet Moor Farm
Tyrau-duon
Plas Dolydd
RHODFA SYCH
Mount Pleasant
PARC SYCHNANT
PENGA
Rec. G
Pensychnant Nature Res.
Pensychnant
SYCHNANT
Mountain Lodge
PASS
Bryn Rhedyn
Nursery
Dorney Cottage
Gwrhydrhos
The Mews
Bryn Bychan
BRYN GYNOG CARAVAN PARK
LLYS SYCHNANT
BRYN AWEL
CILFAN
BRYN FELIN
Murddyn
Inglewood
Crow's Nest Farm
Oakwood Park
Crow's Nest Hall
Cogwrn
Gwernengan
Bryn-mawr
Bryn Hendre
My Way
Monument
Coed Hendre
Hendre Fawr
Ravenscraig
Perllan Caradoc
HENDRE
Coed Bryn-gloria
Bryn-gloria-bach
Oakwood View
Dwy Onnen
Bryniau

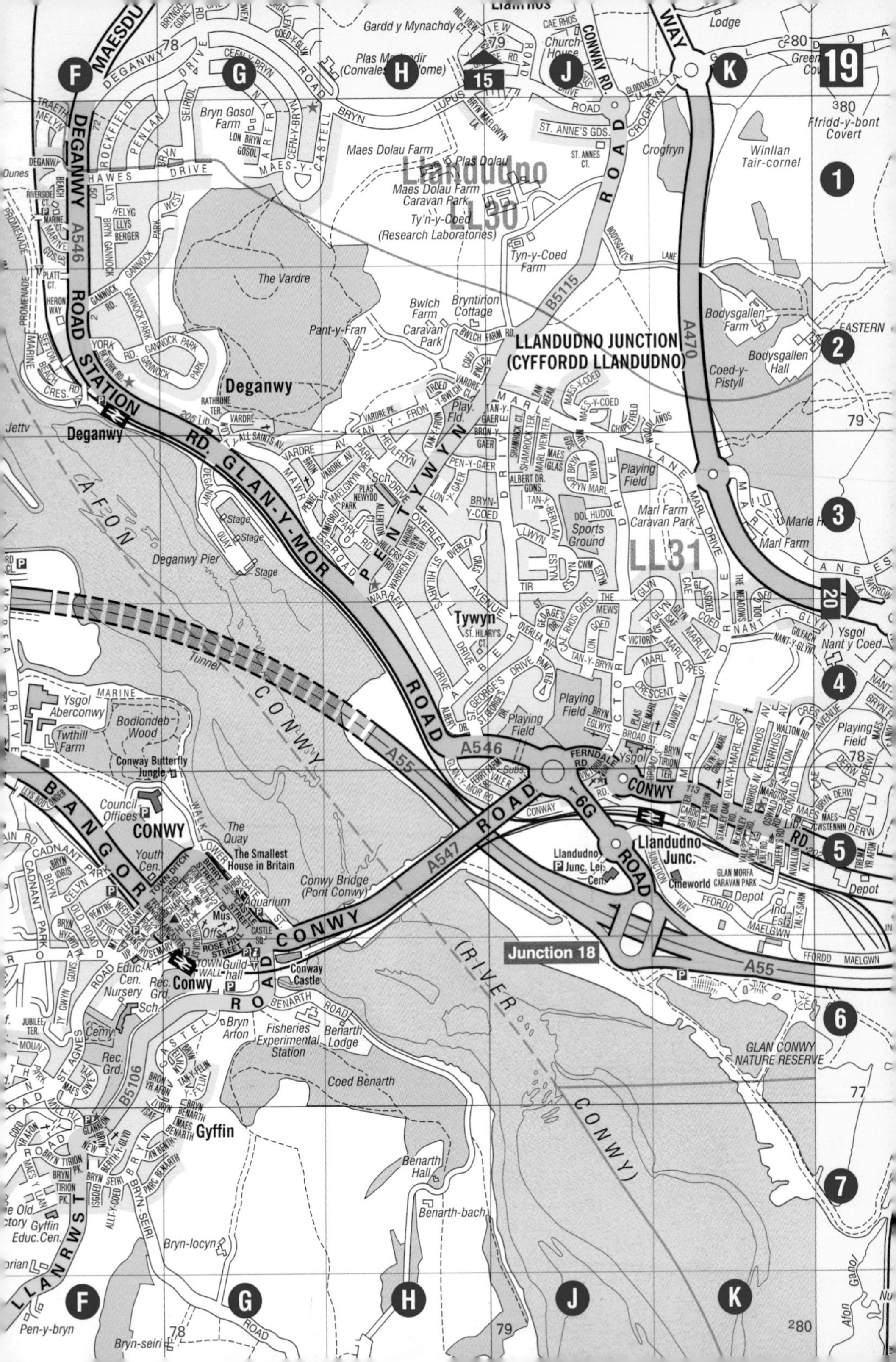

19
Llandudno
LL30
LL31
LLANDUDNO JUNCTION
(CYFFORDD LLANDUDNO)
Deganwy
Tywyn
CONWY
Conwy
Gyffin
Llandudno Junc.
Junction 18
Gardd y Mynachdy
Plas Mariandir (Convalescent Home)
Church House
Lodge
Bryn Gosol Farm
Maes Dolau Farm
Plas Dolau
Maes Dolau Farm Caravan Park
Ty'n-y-Coed (Research Laboratories)
Tyn-y-Coed Farm
Crogfryn
Winllan Tair-cornel
Ffridd-y-bont Covert
The Vardre
Bwlch Farm Caravan Park
Bryntirion Cottage
Pant-y-Fran
Bodysgallen Farm
Bodysgallen Hall
Coed-y-Pistyll
Playing Field
Marl Farm Caravan Park
Marl Farm
Sports Ground
Ysgol Nant y Coed
Deganwy Pier
Tunnel
Ysgol Aberconwy
Bodlondeb Wood
Twthill Farm
Conway Butterfly Jungle
Council Offices
The Quay
The Smallest House in Britain
Conwy Bridge (Pont Conwy)
Aquarium
Conway Castle
Guildhall
Town Wall
Youth Cen.
Educ. Cen.
Nursery Sch.
Rec. Grd.
Fisheries Experimental Station
Benarth Lodge
Coed Benarth
Bryn Arfon
Benarth Hall
Benarth-bach
Bryn-locyn
Bryn-seiri
Pen-y-bryn
Gyffin Educ. Cen.
Cineworld
Glan Morfa Caravan Park
Depot
GLAN CONWY NATURE RESERVE
Llandudno Junc. Leis. Cen.
AFON CONWY
(RIVER CONWY)
DEGANWY ROAD
STATION ROAD
GLAN-Y-MOR ROAD
CONWY ROAD
BANGOR ROAD
LLANRWST ROAD
A546
A55
A547
A470
B5115
B5106
6G
Jetty
Dunes
15
20
280
78
79
77
F
G
H
J
K
1
2
3
4
5
6
7

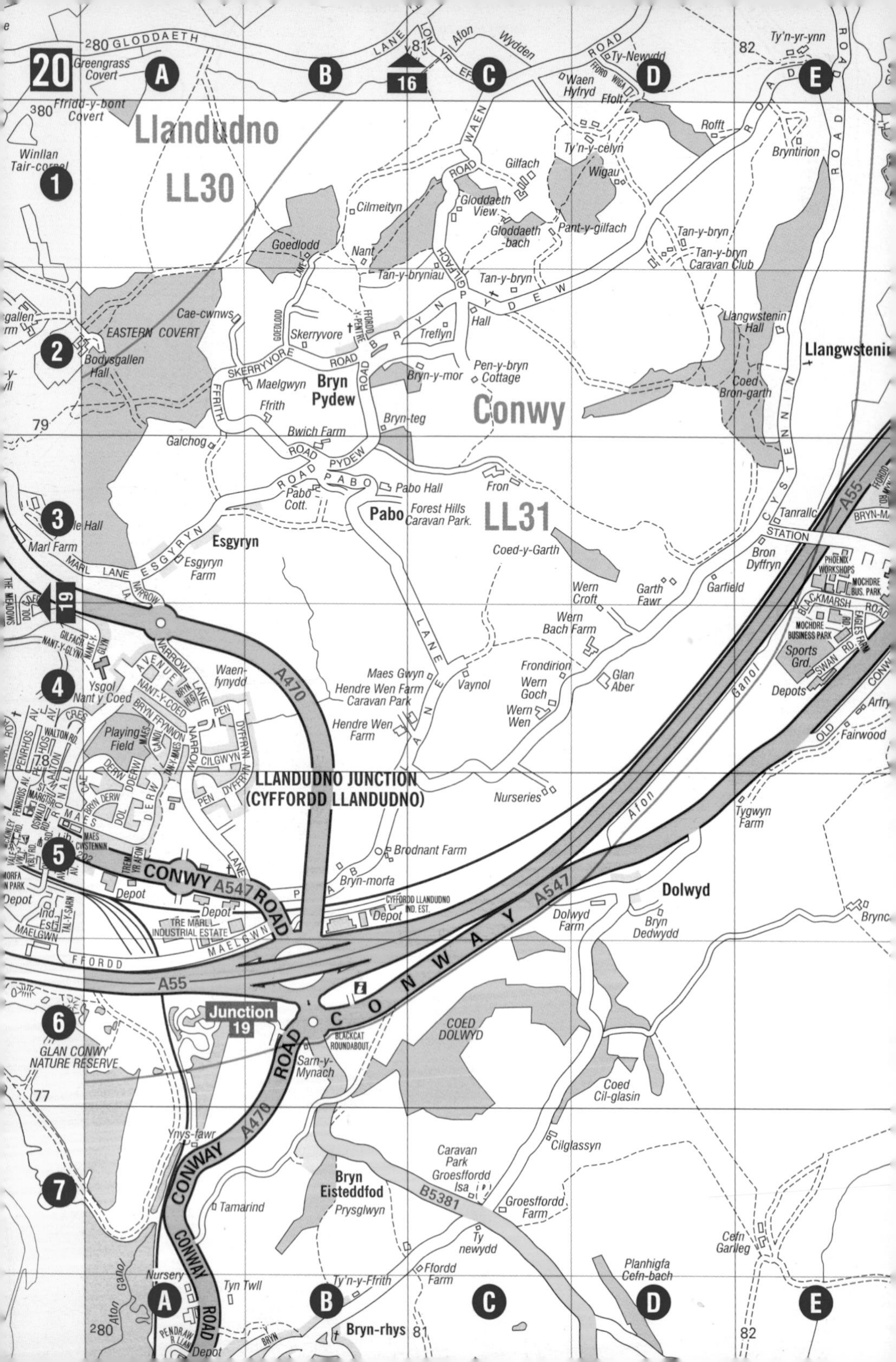
280 GLODDAETH LANE
Greengrass Covert
A
B
C
D
E
16
81
LON YR EFAIL
Afon Wydden
ROAD
Ty-Newydd
FFORDD WIGA
Waen Hyfryd
Ffolt
82
Ty'n-yr-ynn
380 Ffridd-y-bont Covert
Llandudno
LL30
Winllan Tair-cornel
1
WAEN ROAD
Rofft
Ty'n-y-celyn
Gilfach
Wigau
Bryntirion
ROAD
ROAD
Cilmeityn
Gloddaeth View
Gloddaeth -bach
Pant-y-gilfach
Goedlodd
Nant
Tan-y-bryn
Tan-y-bryn Caravan Club
Tan-y-bryniau
GILFACH
LANE
BRYN PYDEW
Tan-y-bryn
Hall
Cae-cwnws
GOEDLODD
FFORDD Y-PENTRE
Llangwstenin Hall
Llangwstenin
EASTERN COVERT
Skerryvore
Treflyn
2
Bodysgallen Hall
SKERRYVORE ROAD
ROAD
Bryn-y-mor
Pen-y-bryn Cottage
Maelgwyn
Bryn Pydew
Conwy
Coed Bron-garth
FFRITH
Ffrith
Bryn-teg
79
Bwlch Farm
Galchog
ROAD PYDEW
ROAD PABO
Pabo Hall
Fron
Pabo Cott.
Pabo
Forest Hills Caravan Park.
LL31
CYSTENNIN
3
Marl Farm
Esgyryn
ESGYRYN
MARL LANE
Esgyryn Farm
Coed-y-Garth
Tanrallt
A55
STATION
Bron Dyffryn
PHOENIX WORKSHOPS
MOCHDRE BUS. PARK
BLACKMARSH ROAD
MOCHDRE BUSINESS PARK
NARROW LA.
THE MEADOWS
19
GILFACH
NANT-Y-GLYN
Wern Croft
Garth Fawr
Garfield
Wern Bach Farm
LANE
A470
Waen-fynydd
NARROW LANE
AVENUE
BRYN HLG
4
Ysgol Nant y Coed
NANT-Y-COED
BRYN FFYNNON
Maes Gwyn
Hendre Wen Farm Caravan Park
Vaynol
Frondirion
Wern Goch
Wern Wen
Glan Aber
Sports Grd.
SWAN RD.
EAGLES FARM
Depots
Arfryn
Fairwood
OLD
Ganol
PENRHOS AV.
WALTON RD.
CRES.
Playing Field
PEN
CILGWYN
DYFFRYN
Hendre Wen Farm
78
LLANDUDNO JUNCTION (CYFFORDD LLANDUDNO)
Nurseries
Tygwyn Farm
Afon
MAES CWSTENNIN
Brodnant Farm
5
TREM YR AFON
CONWY A547 ROAD
Depot
Bryn-morfa
PABO
Dolwyd
CYFFORDD LLANDUDNO IND. EST.
Depot
Dolwyd Farm
Bryn Dedwydd
CONWAY
A547
Brynca
Ind. Est.
TRE MARL INDUSTRIAL ESTATE
MAELGWN
FFORDD
A55
Junction 19
6
BLACKCAT ROUNDABOUT
COED DOLWYD
GLAN CONWY NATURE RESERVE
Sarn-y-Mynach
ROAD
77
Coed Cil-glasin
Ynys-fawr
A470
CONWAY
Cilglassyn
Caravan Park Groesffordd Isa
7
Bryn Eisteddfod
Tamarind
Prysglwyn
B5381
Groesffordd Farm
Ty newydd
Cefn Garlleg
Nursery
Fford Farm
Planhigfa Cefn-bach
Tyn Twll
Ty'n-y-Ffrith
A
B
C
D
E
280
Afon Ganol
CONWAY ROAD
PENDRAW'R LLAN
Bryn-rhys
81
82
Depot

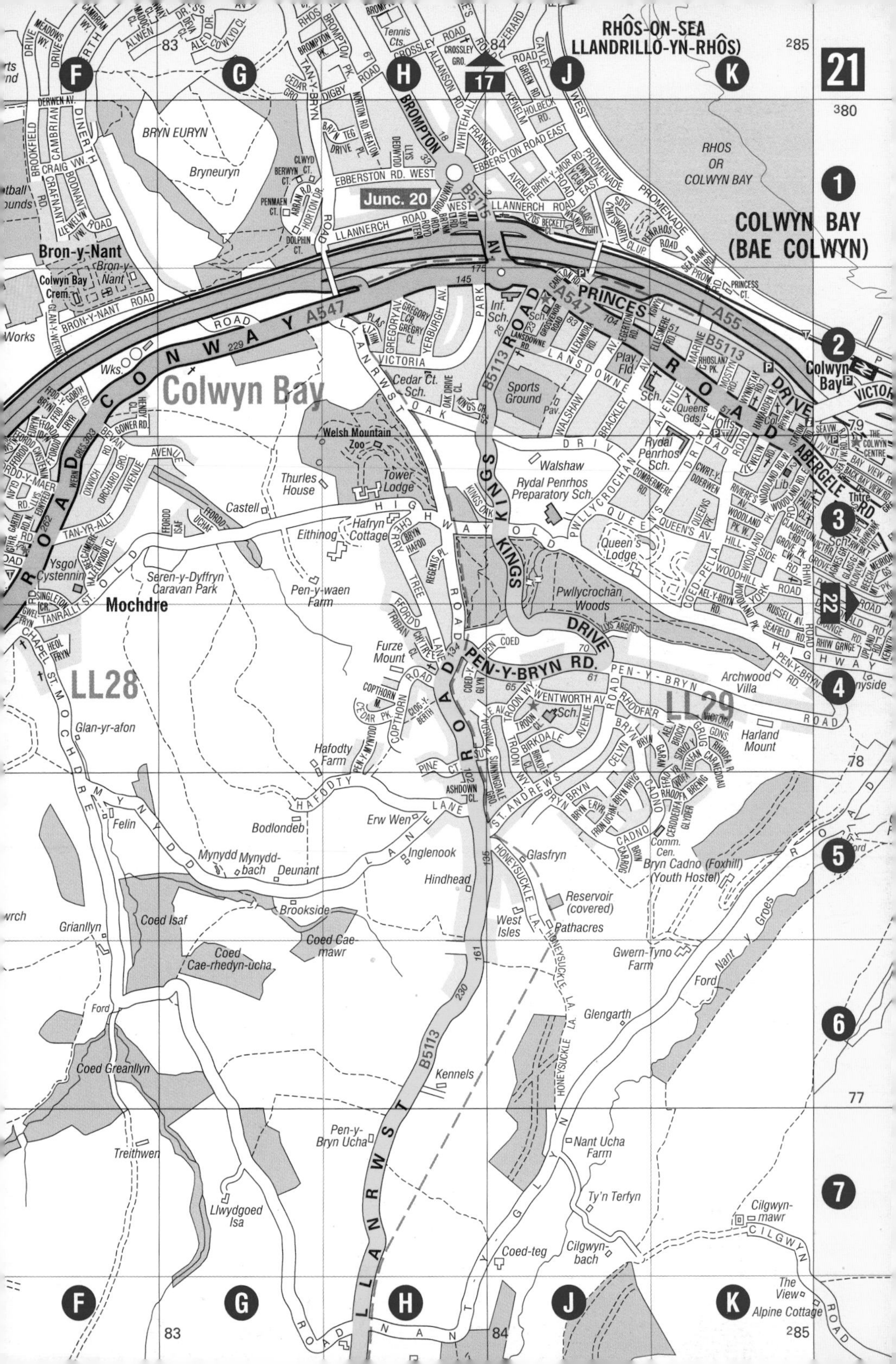
RHÔS-ON-SEA
LLANDRILLO-YN-RHÔS)
RHOS OR COLWYN BAY
COLWYN BAY (BAE COLWYN)
Colwyn Bay
Bron-y-Nant
Colwyn Bay Crem.
BRYN EURYN
Bryneuryn
Junc. 20
CONWAY ROAD A547
PRINCES DRIVE
ABERGELE RD
PROMENADE
Welsh Mountain Zoo
Tower Lodge
Thurles House
Castell
Hafryn Cottage
Eithinog
Seren-y-Dyffryn Caravan Park
Pen-y-waen Farm
Mochdre
Ysgol Cystennin
LL28
LL29
Rydal Penrhos Preparatory Sch.
Rydal Penrhos Sch.
Queen's Lodge
Pwllycrochan Woods
Walshaw
Sports Ground
KINGS DRIVE
PEN-Y-BRYN RD.
Furze Mount
Archwood Villa
Harland Mount
Hafodty Farm
Glan-yr-afon
Felin
Bodlondeb
Erw Wen
Mynydd
Mynydd-bach
Deunant
Inglenook
Hindhead
Glasfryn
Bryn Cadno (Foxhill) (Youth Hostel)
Comm. Cen.
Reservoir (covered)
West Isles
Pathacres
Brookside
Grianllyn
Coed Isaf
Coed Cae-mawr
Coed Cae-rhedyn-ucha
Ford
Coed Greanllyn
Gwern-Tyno Farm
Nant y Groes
Glengarth
Kennels
Pen-y-Bryn Ucha
Treithwen
Llwydgoed Isa
Nant Ucha Farm
Ty'n Terfyn
Cilgwyn-mawr
Cilgwyn-bach
Coed-teg
The View
Alpine Cottage
LLANRWST ROAD
B5113
NANT-Y-GLYN ROAD
HONEYSUCKLE LA.
F G H J K
1 2 3 4 5 6 7
83 84 285
380 78 77
17
22

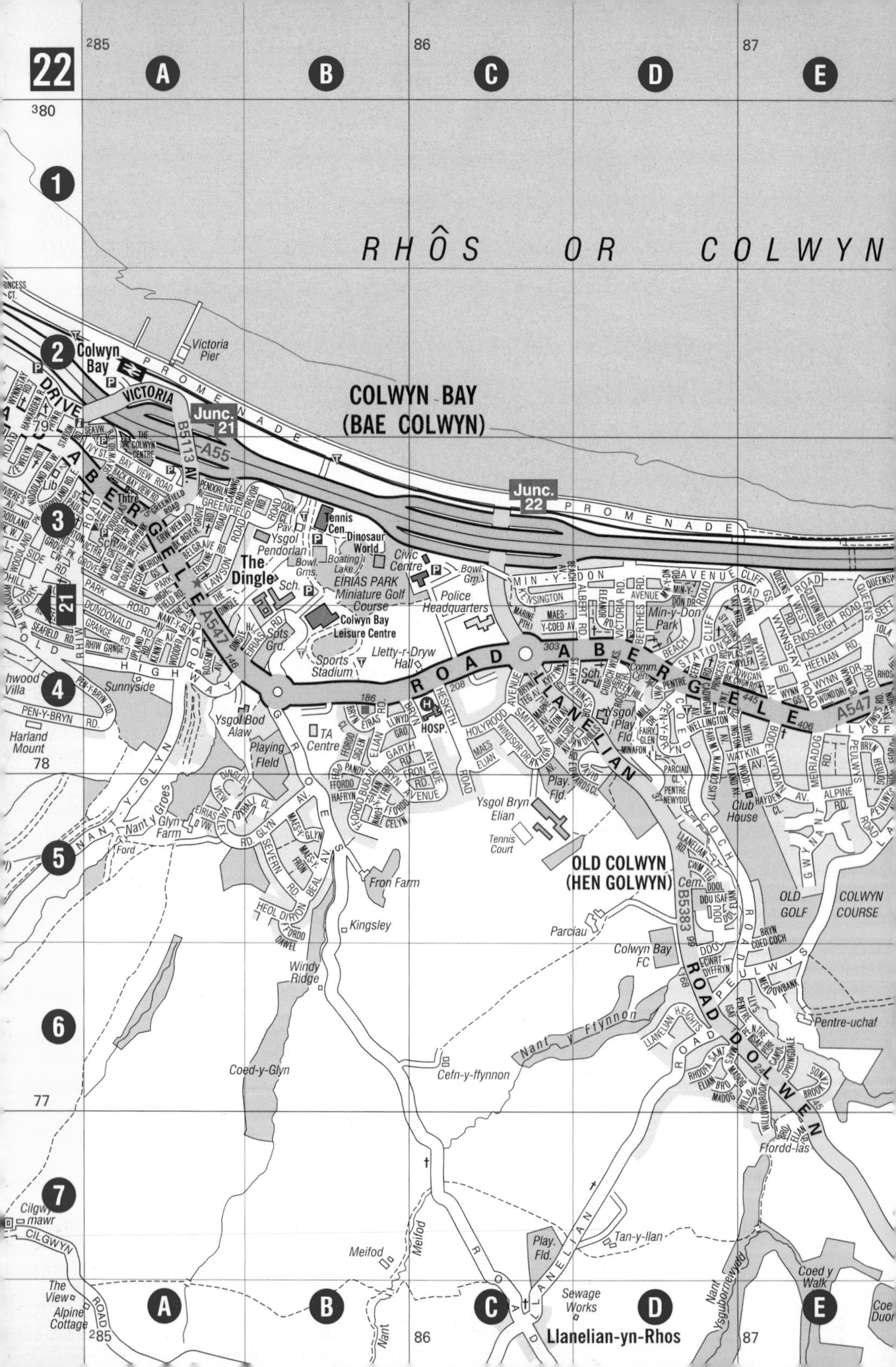
RHÔS OR COLWYN
COLWYN BAY
(BAE COLWYN)
OLD COLWYN
(HEN GOLWYN)
Llanelian-yn-Rhos
Colwyn Bay
Victoria Pier
PROMENADE
Junc. 21
Junc. 22
A55
A547
B5113
B5383
ABERGELE ROAD
LLANELIAN ROAD
DOLWEN ROAD
VICTORIA AV.
The Dingle
Ysgol Pendorlan
Tennis Cen.
Dinosaur World
Boating Lake
EIRIAS PARK
Miniature Golf Course
Colwyn Bay Leisure Centre
Civic Centre
Police Headquarters
Sports Stadium
Lletty-r-Dryw Hall
TA Centre
HOSP.
Ysgol Bod Alaw
Playing Field
Ysgol Bryn Elian
Tennis Court
Min-y-Don Park
Club House
OLD COLWYN GOLF COURSE
Colwyn Bay FC
Parciau
Pentre-uchaf
Ffordd-las
Fron Farm
Kingsley
Windy Ridge
Coed-y-Glyn
Cefn-y-ffynnon
Nant y Ffynnon
Nant y Groes
Nant y Glyn Farm
Sunnyside
Harland Mount
Highwood Villa
Cilgwyn mawr
The View
Alpine Cottage
Meifod
Tan-y-llan
Sewage Works
Coed y Walk
Nant Ysgubornewydd
Ford
21
285
86
87
380
79
78
77
A
B
C
D
E
1
2
3
4
5
6
7

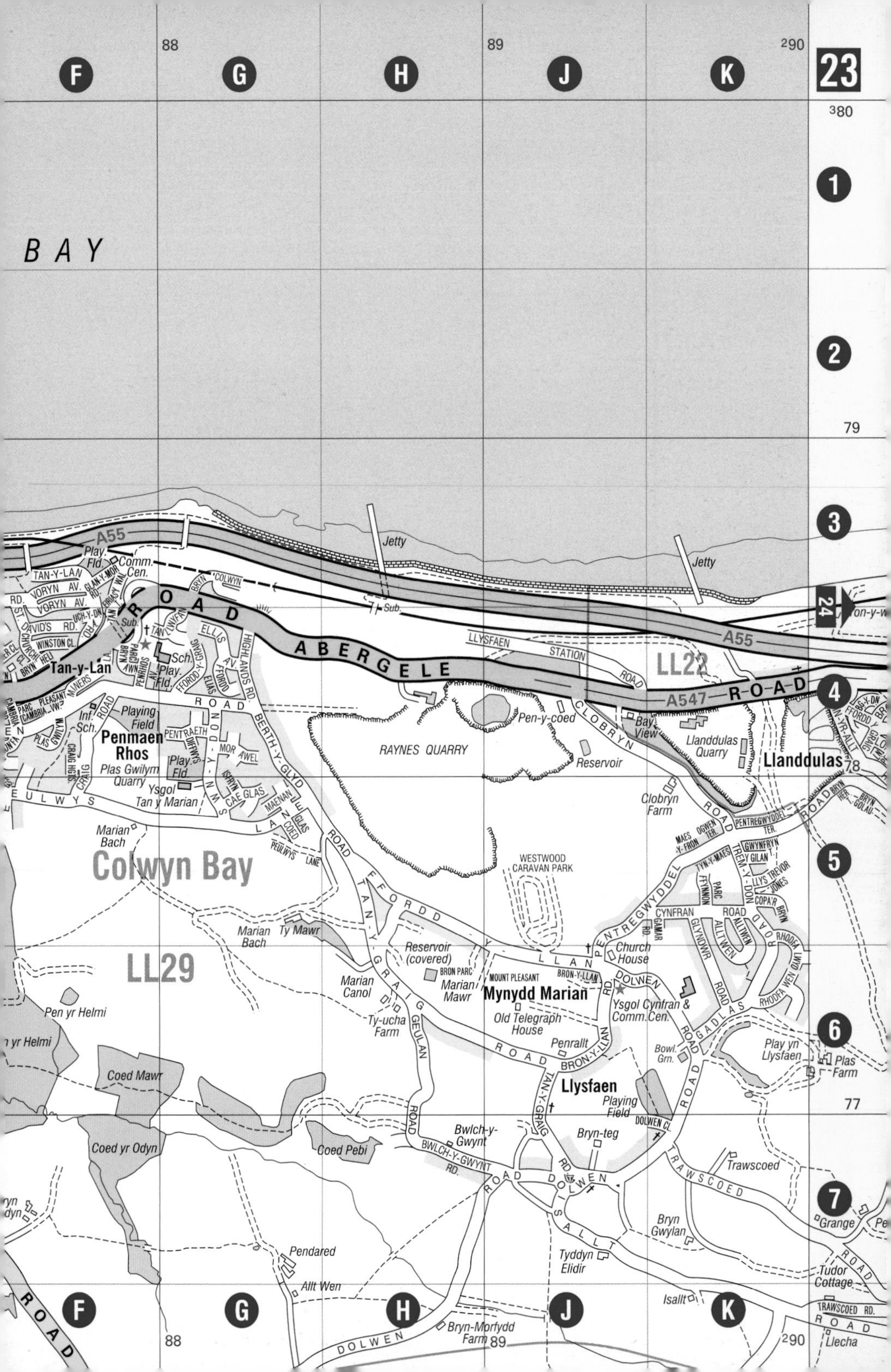
F
G
H
J
K
88
89
290
380
1
2
3
4
5
6
7
79
78
77
B A Y
A55
Jetty
Jetty
Play. Fld.
Comm. Cen.
TAN-Y-LAN
VORYN AV.
VORYN AV.
GLAN-Y-MOR
UCH-Y-DON
ST. DAVID'S RD.
CHURCH
WINSTON CL.
BRYN
COLWYN
Sub.
Sub.
ROAD
ABERGELE
ELLIS AV.
HIGHLANDS RD.
Sch.
Play. Fld.
FFORDD-Y-GRAIG
Tan-y-Lan
MINERS
CAMBRIA
PARC CAMBRIA VW.
PLEASANT
PLAS GWILYM
CRAIG HGTS.
CRAIG
Inf. Sch.
Playing Field
Penmaen Rhos
Plas Gwilym Quarry
PENTRAETH
DIFFWYS
MOR
AWEL
CAE GLAS
MAENAN
Play. Fld
Ysgol Tan y Marian
PEULWYS
LLAN
COED GLAS
PEULWYS LANE
BERTH-Y-GLYD
Marian Bach
Colwyn Bay
LLYSFAEN
STATION
ROAD
LL22
A55
A547
R-O-A-D
Pen-y-coed
CLOBRYN
Bay View
Llanddulas Quarry
Llanddulas
RAYNES QUARRY
Reservoir
Clobryn Farm
ROAD
PENTREGWYDDEL TER.
MAES-Y-FRON
OGWEN TER.
TYN-Y-MAES
GWYNFRYN
Y GILAN
TREM-Y-DON
LLYS TREVOR JONES
FFYNNON
PARC
COPA'R
BRYN
CYNFRAN
ROAD
GAMAR
GLYNDWR
ALLTWEN
RHODFA WEN
WESTWOOD CARAVAN PARK
PENTREGWYDDEL
FFORDD
Y
LLAN
Marian Bach
Ty Mawr
LL29
Reservoir (covered)
BRON PARC
MOUNT PLEASANT
BRON-Y-LLAN
Marian Mawr
Mynydd Marian
Church House
DOLWEN
Ysgol Cynfran & Comm. Cen.
Marian Canol
Ty-ucha Farm
Old Telegraph House
Pen yr Helmi
TAN-Y-GRAIG
GEULAN
Penrallt
ROAD
BRON-Y-LLAN
Bowl. Grn.
GADLAS
Play yn Llysfaen
Plas Farm
Coed Mawr
Llysfaen
Playing Field
DOLWEN CL.
Coed yr Odyn
Coed Pebi
Bwlch-y-Gwynt
BWLCH-Y-GWYNT RD.
Bryn-teg
ROAD
DOLWEN
Trawscoed
TRAWSCOED
Grange
Bryn Gwylan
SALLT
Tyddyn Elidir
Pendared
Allt Wen
Tudor Cottage
Isallt
TRAWSCOED RD.
ROAD
Bryn-Morfydd Farm
DOLWEN
Llecha
ROAD
24

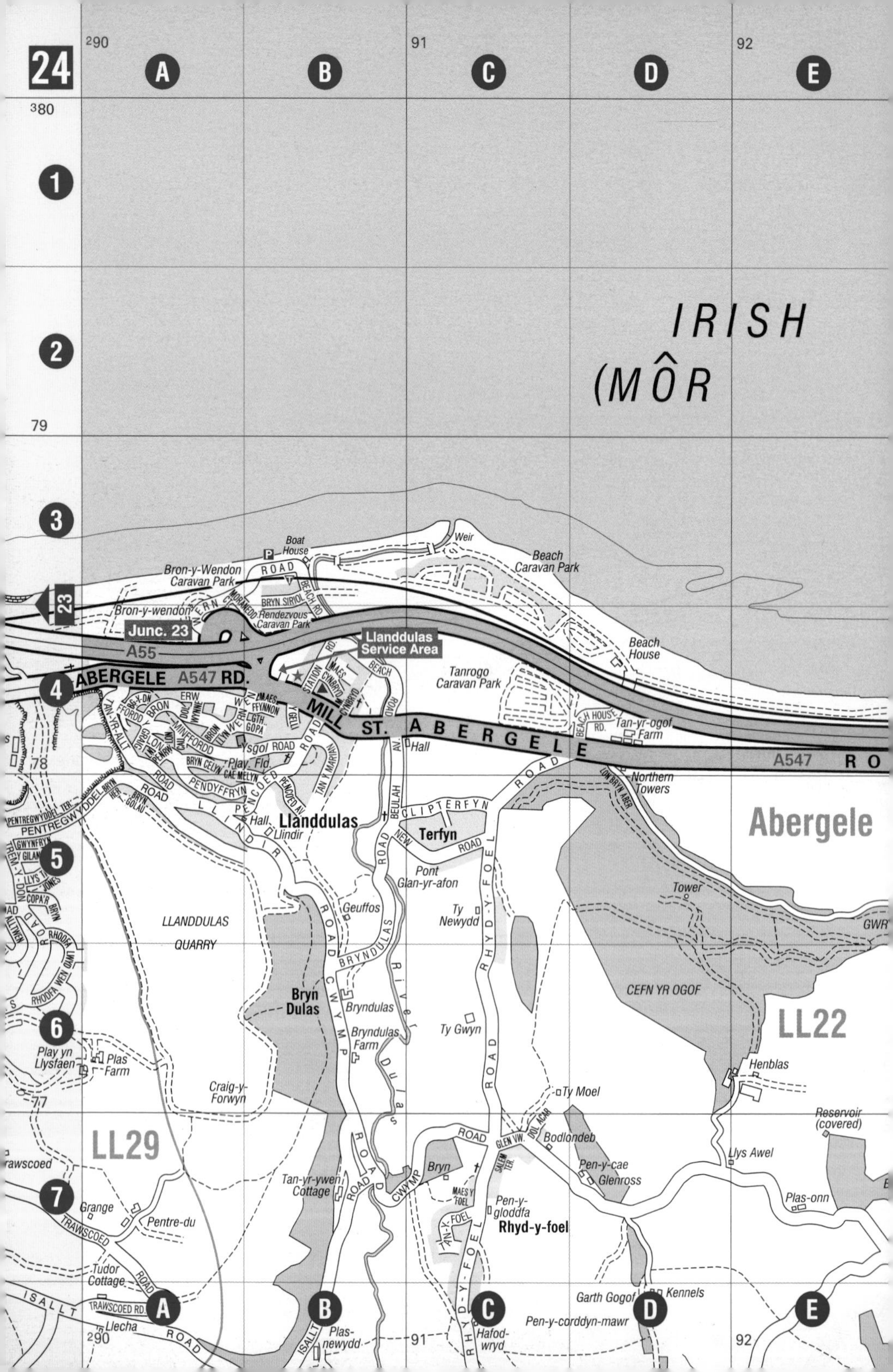
290
A
B
91
C
D
92
E
380
1
2
79
3
4
78
5
6
77
7
IRISH
(MÔR
Boat House
Weir
Beach Caravan Park
Bron-y-Wendon Caravan Park
ROAD
BRYN SIRIOL
BEACH RD.
Bron-y-wendon
WERN
MORANEDD
Rendezvous Caravan Park
23
Junc. 23
A55
Llanddulas Service Area
Beach House
ABERGELE A547 RD.
STATION RD.
MAES CYNBRYD
BEACH ROAD
Tanrogo Caravan Park
MILL ST. ABERGELE
BEACH HOUSE RD.
Tan-yr-ogof Farm
A547
RO
Hall
TAN-YR-ALLT
FFORDD Y GRAIG
BRON
ERW
DOL WYNNE
MAES FFYNNON
Y GELLI
CGTH. GOPA
LLYN
MINFFORDD
BRON
WERN
Ysgol
ROAD
Play. Fld.
BRYN CELYN
CAE MELYN
PENDYFFRYN
PENCOED
PENCOED AV.
TAN Y MARIAN
Northern Towers
LÔN BRYN ABER
ROAD
PENTREGWYDDEL TER.
PENTREGWYDDEL
BRYN HER
BRYN GOLAU
LLINDIR
Hall
Llindir
Llanddulas
BEULAH AV.
CLIPTERFYN
Terfyn
NEW ROAD
Abergele
GWYNFRYN
BRYN GILAN
LLYS TEG
JONES
COPA'R
BRYN
RHODFA
RHODFA WEN
Pont Glan-yr-afon
Ty Newydd
Geuffos
LLANDDULAS
QUARRY
BRYNDULAS
RHYD-Y-FOEL
Tower
GWR
CEFN YR OGOF
River Dulas
Bryn Dulas
Bryndulas
Bryndulas Farm
Ty Gwyn
LL22
Play yn Llysfaen
Plas Farm
Craig-y-Forwyn
Henblas
Ty Moel
LL29
ROAD CWYMP
ROAD
GLEN VIW.
DOL ACAR
Bodlondeb
Reservoir (covered)
rawscoed
Bryn
SALEM TER.
Pen-y-cae
Glenross
Llys Awel
Tan-yr-ywen Cottage
MAES Y FOEL
Pen-y-gloddfa
Plas-onn
Grange
Pentre-du
TRAWSCOED
TAN-Y-FOEL
Rhyd-y-foel
Tudor Cottage
ROAD
Garth Gogof
Kennels
ISALLT
TRAWSCOED RD.
Pen-y-corddyn-mawr
Llecha
ROAD
Plas-newydd
Hafod-wryd

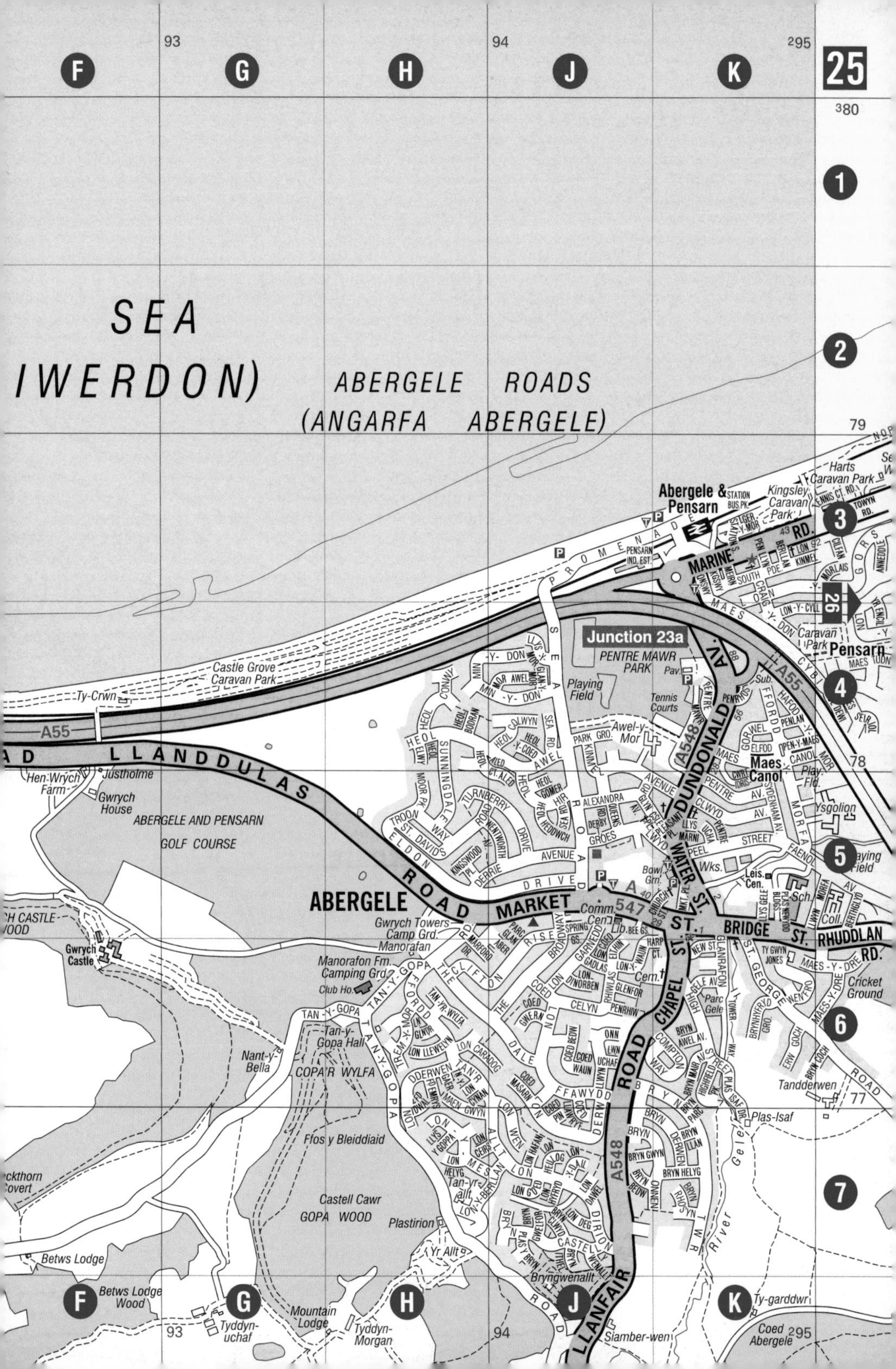
F
G
H
J
K
93
94
295
380
79
78
77
1
2
3
4
5
6
7
SEA
IWERDON)
ABERGELE ROADS
(ANGARFA ABERGELE)
Abergele &
Pensarn
STATION BUS PK.
Kingsley Caravan Park
Harts Caravan Park
TOWYN RD.
ENNIS CT. RD.
PROMENADE
PENSARN IND. EST.
MARINE RD.
26
Junction 23a
PENTRE MAWR PARK
Playing Field
Tennis Courts
Pav.
Caravan Park
Pensarn
A55
Castle Grove Caravan Park
Ty-Crwn
LLANDDULAS ROAD
Hen-Wrych Farm
Justholme
Gwrych House
ABERGELE AND PENSARN GOLF COURSE
ABERGELE
MARKET ST.
BRIDGE ST.
RHUDDLAN RD.
A547
DUNDONALD AV.
A548
WATER ST.
CHAPEL ST.
LLANFAIR ROAD
Maes Canol
Ysgolion
Leis. Cen.
Sch.
Coll.
Wks.
Comm. Cen.
Lib.
Bowl. Grn.
Cem.
Parc Gele
Cricket Ground
Gwrych Towers Camp Grd.
Manorafan
Manorafon Fm. Camping Grd.
Club Ho.
Gwrych Castle
Tan-y-Gopa Hall
Nant-y-Bella
COPA'R WYLFA
Ffos y Bleiddiaid
Castell Cawr
GOPA WOOD
Plastirion
Yr Allt
Tan-yr-allt
Bryngwenallt
Tandderwen
Plas-Isaf
Gele River
Betws Lodge
Betws Lodge Wood
Tyddyn-uchaf
Mountain Lodge
Tyddyn-Morgan
Siamber-wen
Ty-garddwr
Coed Abergele

295   A   B   96   C   D   97   E

81

1

IRISH   SEA
(MÔR   IWERDON)

2

380

3

Kerfoots P
Abbeyford
Caravan Park
SAN REMO AV
Gaingc
Holiday
Pk
Mortons Holiday
Camp
Millers
Caravan
Park
SANDBANK
Sandy Bay
Caravan Pk.
Morris's
Holiday Camp
Edwards
Leisure Park
Comm
Cen
TOWYN
PATH
Golden Gate
Holiday Centre
Cambria
Caravan
Park
Owen's
Holiday Camp
Browns
Holiday P
WENDOVER ROAD
PENISAF
WALES
Inter Leisure
Holiday Park
GAINGC
Ty Gwyn
Caravan Park
Madeley's
Holiday Camp
ROAD

4

79

Caravan
Park
Ty-gwyn
NORTH
HOLLAND AV
SEAFIELD DR
Henllys
Henllys Farm
Camping & Touring
Site
Ty Mawr
Holiday Park
PLASTIRION
NORTH WALES
HOLIDAY CAMP
A548
SUMMER

Sewage
Works
Harts
Caravan Park
TOWYN
CASTELL
MAES
RHOSON
Kingsley
Caravan
Park
GLAN DWR
MAES-Y-MOR
TREM-Y-MYNYDD
GELE
STRYD-Y-DDERWEN
SUNRAY
HOLLAND AV
SEAFIELD DR
KINMEL
MARINE

5   LON
GORS
ANNEDD
LON GLANGOR
LON GLYD
LON Y WYLAN
Belgrano
Abergele
PENTRE
MAES

MORLAIS
LON-Y-DRYW
MAES-Y-MOR
Pensarn
LL22
Pc
PO

25   LON
LON
Caravan
Park
LLYS-Y-
MORFA RHUDDLAN

MAES
MAES TUDNO
CYBI

6   FFORDD
PENLAN
PEN-Y-MAES
CANOL
78   Sub
GOS
WEL
ELFOD
SYDENHAM AV.
MAES
CANOL
River Gele

7   **Maes
Canol**
Play.
Fld
Ysgolion
Playing
Field
Junction 24
TRENO
AVENUE
Leis.
Cen.
Sch
Coll.
RHUDDLAN RD.
A55
A547

BRIDGE ST
RHUDDLAN RD.
TY GWYN
JONES
MAES-Y-DRE
ST GEORGE
WENSLEY

295   A   B   96   C   Cricket
Ground
RHUDDLAN   RD.
D   *Pen-y-ffordd*   97   E   Gofer
A547

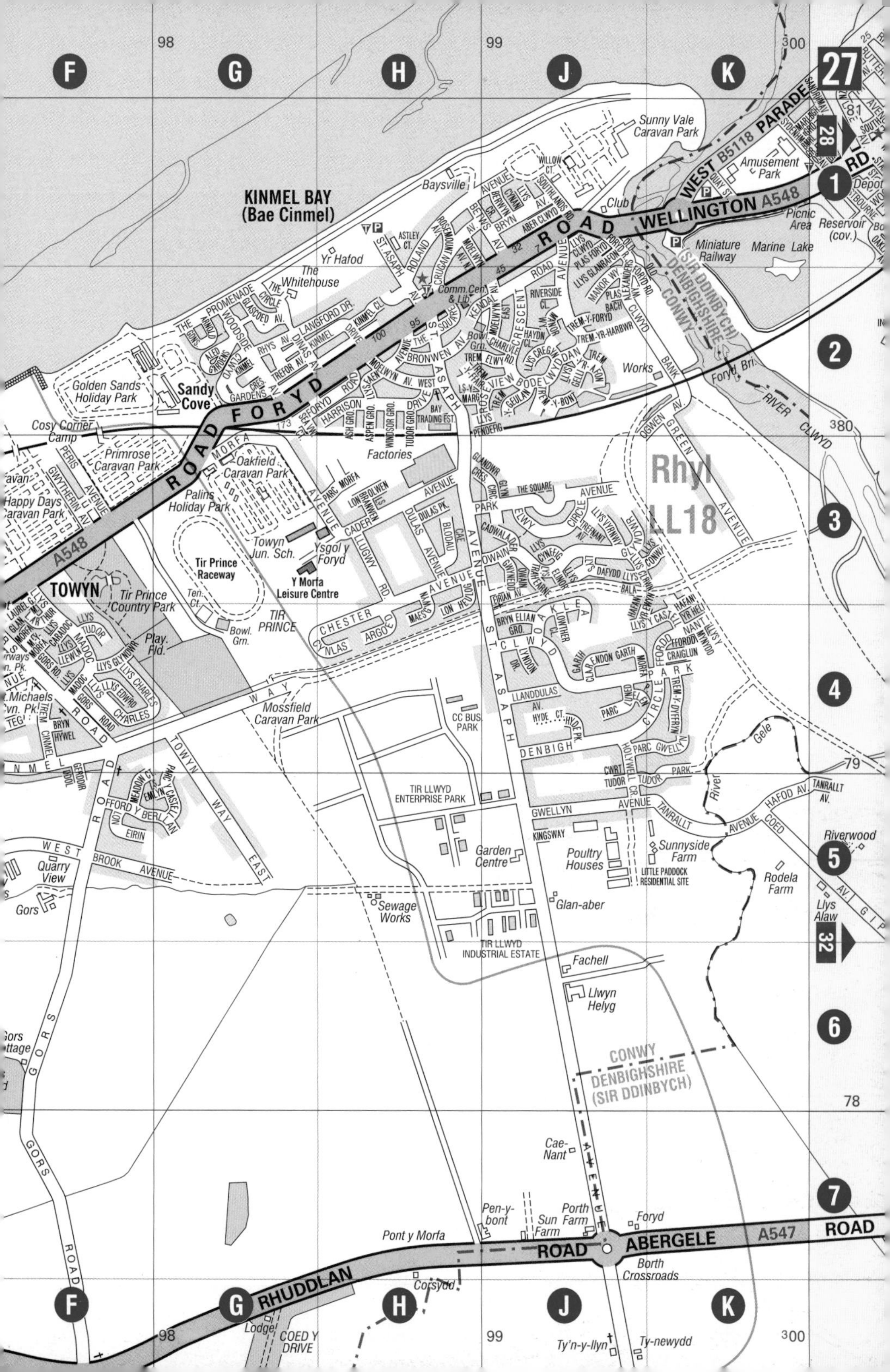

F
G
H
J
K
98
99
300
KINMEL BAY
(Bae Cinmel)
Sunny Vale Caravan Park
Baysville
Yr Hafod
The Whitehouse
Comm.Cen. & Lib.
Golden Sands Holiday Park
Sandy Cove
Cosy Corner Camp
Primrose Caravan Park
Happy Days Caravan Park
Oakfield Caravan Park
Palins Holiday Park
Factories
Towyn Jun. Sch.
Ysgol y Foryd
Y Morfa Leisure Centre
Tir Prince Raceway
TOWYN
Tir Prince Country Park
Play. Fld.
Bowl. Grn.
TIR PRINCE
Mossfield Caravan Park
CC BUS PARK
TIR LLWYD ENTERPRISE PARK
Garden Centre
Poultry Houses
Sunnyside Farm
LITTLE PADDOCK RESIDENTIAL SITE
Sewage Works
Glan-aber
TIR LLWYD INDUSTRIAL ESTATE
Fachell
Llwyn Helyg
Quarry View
Gors
Riverwood
Rodela Farm
Llys Alaw
Rhyl
LL18
Amusement Park
Picnic Area
Reservoir (cov.)
Miniature Railway
Marine Lake
Works
Foryd Bri.
RIVER CLWYD
River Gele
CONWY
DENBIGHSHIRE
(SIR DDINBYCH)
Cae-Nant
Pen-y-bont
Sun Farm
Porth Farm
Foryd
Pont y Morfa
Borth Crossroads
Corsydd
Lodge
COED Y DRIVE
Ty'n-y-llyn
Ty-newydd
ROAD FORYD
A548
WELLINGTON ROAD
WEST PARADE
B5118
ST. ASAPH AVENUE
DENBIGH ROAD
GWELLYN AVENUE
TANRALLT AVENUE
WEST BROOK AVENUE
TOWYN WAY EAST
TOWYN WAY
GORS ROAD
RHUDDLAN ROAD
ABERGELE ROAD
A547
28
32
1
2
3
4
5
6
7
380
79
78

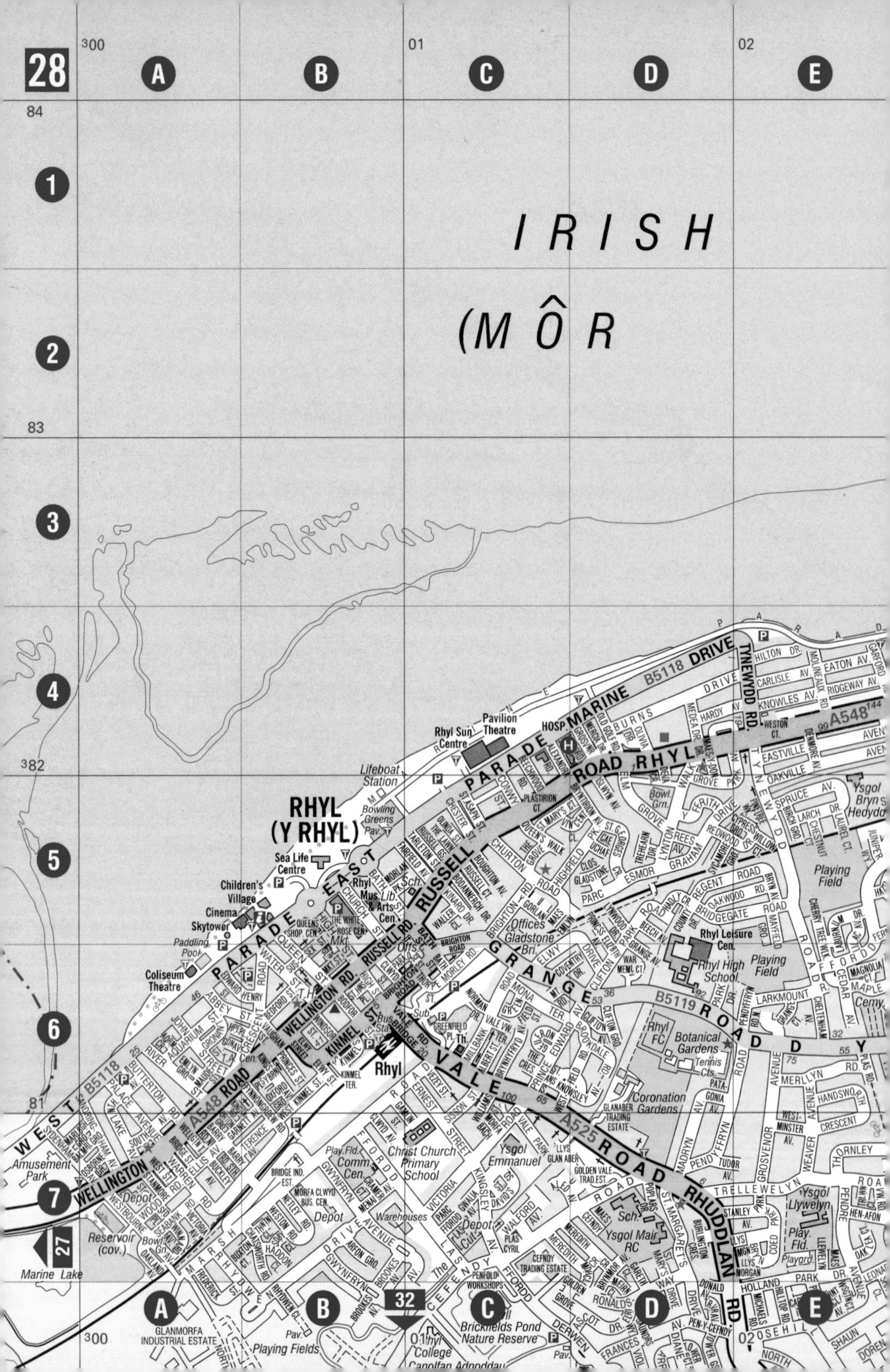
IRISH
(MÔR
RHYL
(Y RHYL)
Rhyl
Lifeboat Station
Bowling Greens
Rhyl Sun Centre
Pavilion Theatre
Sea Life Centre
Children's Village
Cinema
Skytower
Paddling Pool
Coliseum Theatre
Rhyl Mus. & Arts Cen.
Offices
Rhyl Leisure Cen.
Rhyl High School
Playing Field
Rhyl FC
Botanical Gardens
Tennis Cts.
Coronation Gardens
Glanaber Trading Estate
Golden Vale Trad. Est.
Christ Church Primary School
Ysgol Emmanuel
Ysgol Mair RC
Ysgol Llywelyn
Ysgol Bryn Hedydd
Amusement Park
Reservoir (cov.)
Marine Lake
Depot
Warehouses
Comm. Cen.
Bridge Ind. Est.
Morfa Clwyd Bus. Cen.
Cefndy Trading Estate
Penfold Workshops
Glanmorfa Industrial Estate
Playing Fields
Brickfields Pond Nature Reserve
Rhyl College
Capolfan Adnoddau
Cemy.
Play. Fld.
Playgrd.
EAST PARADE
WEST PARADE
MARINE DRIVE
B5118
B5119
A548
A525
RHYL ROAD
VALE ROAD
GRANGE ROAD
DYSERTH ROAD
RHUDDLAN ROAD
WELLINGTON ROAD
WELLINGTON
RUSSELL ROAD
KINMEL ST.
HIGH ST.
MARSH ROAD
TYNEWYDD RD.
27
32
A
B
C
D
E
1
2
3
4
5
6
7
300
01
02
84
83
382
81

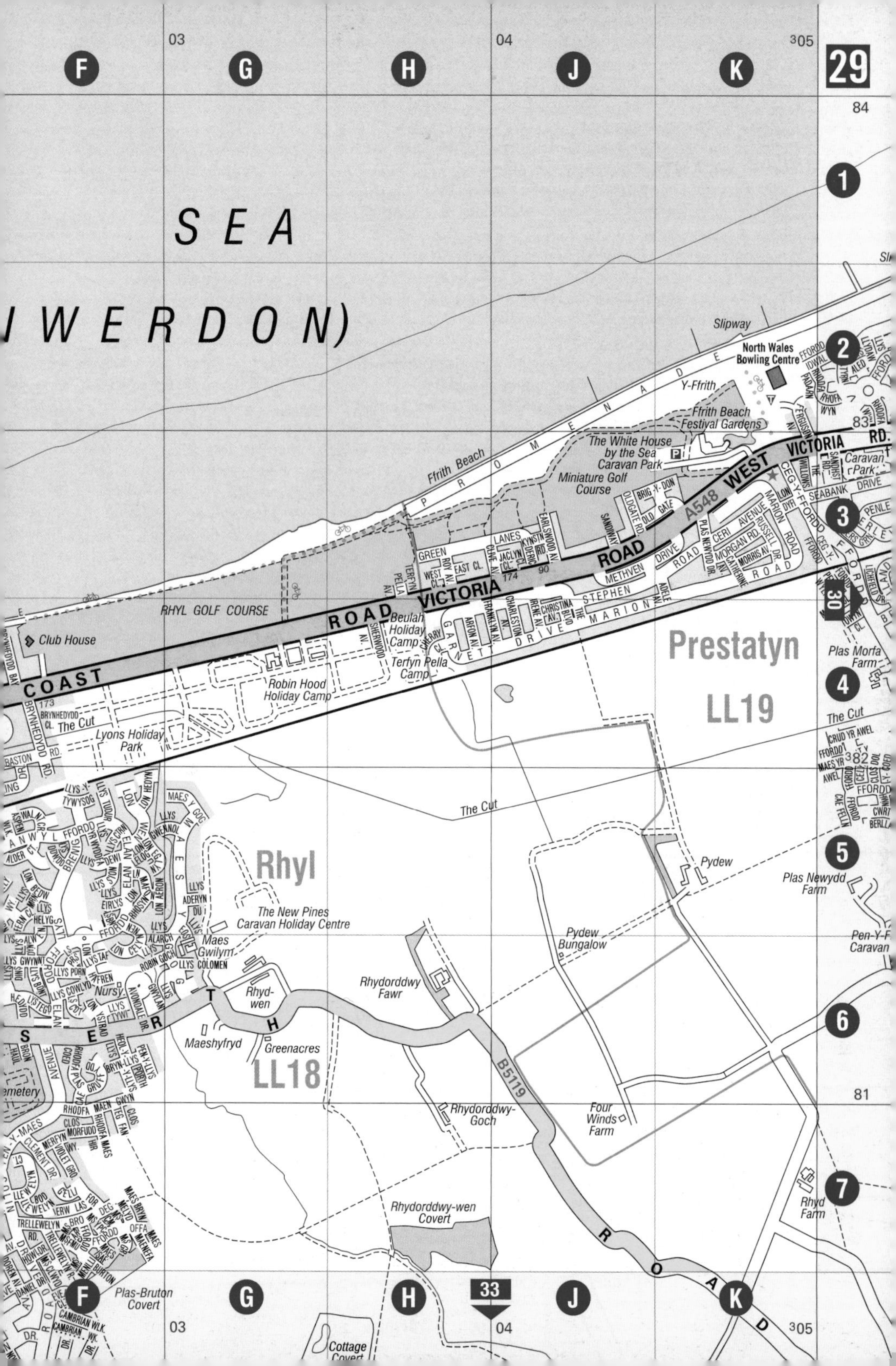
F
G
H
J
K
03
04
305
84
83
82
81
1
2
3
4
5
6
7
SEA
IWERDON)
Slipway
North Wales Bowling Centre
Y-Ffrith
Ffrith Beach Festival Gardens
The White House by the Sea Caravan Park
Miniature Golf Course
Ffrith Beach
PROMENADE
VICTORIA RD.
WEST
A548
ROAD
VICTORIA
ROAD
COAST
RHYL GOLF COURSE
Club House
Beulah Holiday Camp
Terfyn Pella Camp
Robin Hood Holiday Camp
Lyons Holiday Park
The Cut
Prestatyn
LL19
Caravan Park
SEABANK DRIVE
Plas Morfa Farm
30
Rhyl
The New Pines Caravan Holiday Centre
Maes Gwilym
Pydew
Pydew Bungalow
Plas Newydd Farm
Pen-Y-F Caravan
Rhydorddwy Fawr
Rhyd-wen
Maeshyfryd
Greenacres
LL18
B5119
Rhydorddwy-Goch
Four Winds Farm
Rhydorddwy-wen Covert
Rhyd Farm
Plas-Bruton Covert
Cottage Covert
33
ROAD
STEPHEN
MARION
GARNETT DRIVE
METHVEN
CERI AVENUE
MORGAN RD.
MARION ROAD
emetery

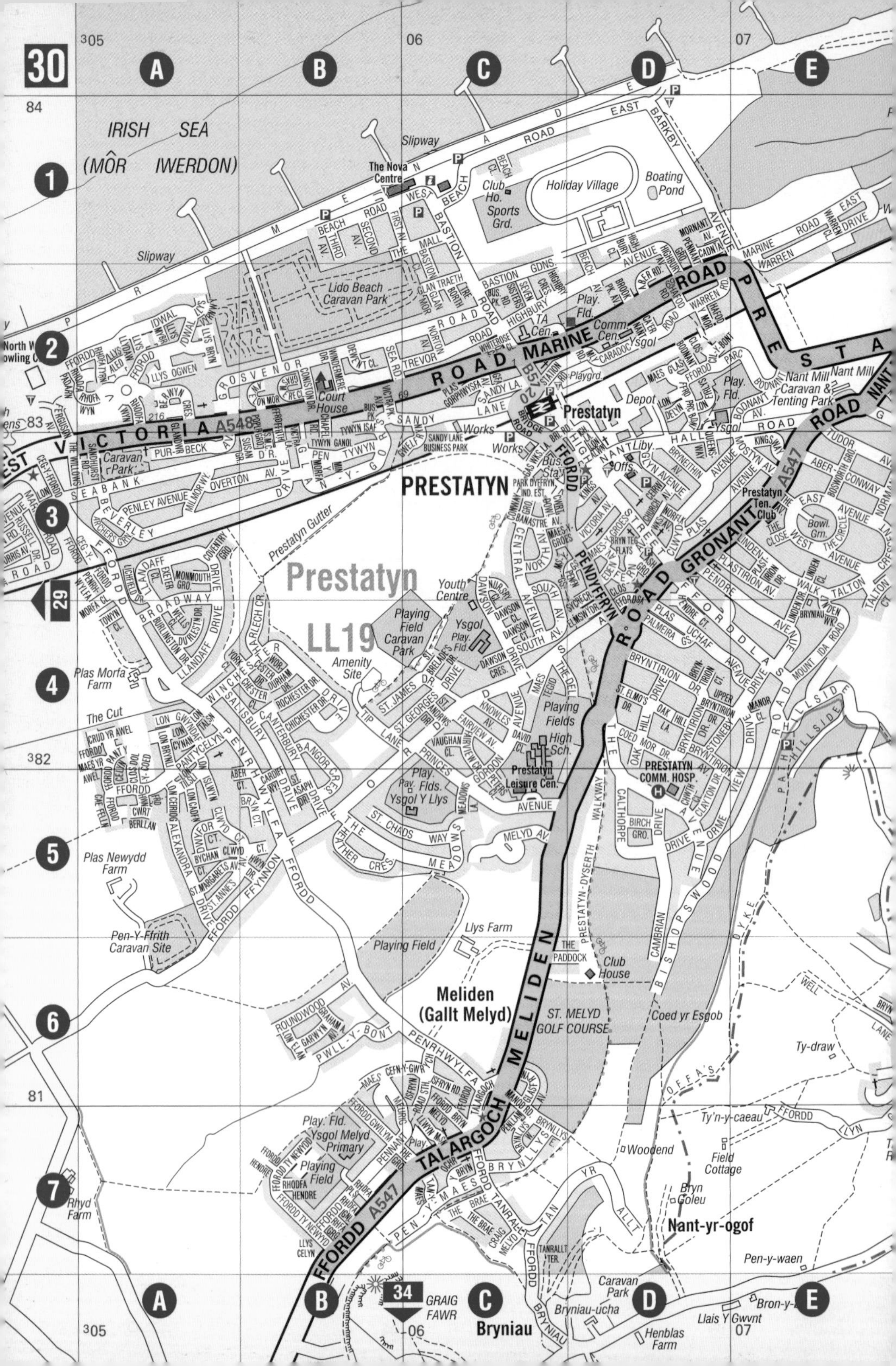
IRISH SEA
(MÔR IWERDON)
Slipway
The Nova Centre
Holiday Village
Boating Pond
Club Ho.
Sports Grd.
Lido Beach Caravan Park
MARINE ROAD
EAST
BARKBY AVENUE
BEACH ROAD WEST
BASTION ROAD
THE MALL
FIRST AV.
SECOND AV.
THIRD AV.
HIGHBURY AVENUE
BASTION GDNS.
SEVEN SISTERS RD.
PRESTATYN
Prestatyn
LL19
VICTORIA ROAD
A548
B5120
Court House
GROSVENOR
SANDY LANE
SANDY LANE BUSINESS PARK
Works
Depot
Play. Fld.
TA Cen.
Comm. Cen.
Ysgol
Nant Mill
Nant Mill Caravan & Tenting Park
NANT ROAD
A547
GRONANT ROAD
PENDYFFRYN ROAD
HIGH STREET
FFORDD
Liby.
Offs.
Bus Sta.
Prestatyn Ten. Club
Bowl. Grn.
THE CIRCLE
EAST AVENUE
WEST AVENUE
ABER-CONWAY
TUDOR
PLAS UCHAF
FFORDD LAS
MOUNT IDA ROAD
TALTON
Youth Centre
Playing Field Caravan Park
Ysgol Play. Fld.
Amenity Site
Prestatyn Gutter
Plas Morfa Farm
The Cut
Playing Fields
High Sch.
Prestatyn Leisure Cen.
PRESTATYN COMM. HOSP.
Play. Flds.
Ysgol Y Llys
Plas Newydd Farm
Pen-Y-Ffrith Caravan Site
Playing Field
Llys Farm
Club House
Meliden (Gallt Melyd)
MELIDEN
ST. MELYD GOLF COURSE
PRESTATYN-DYSERTH WALKWAY
Coed yr Esgob
Ty-draw
OFFA'S DYKE
Ty'n-y-caeau
Woodend
Field Cottage
Bryn Goleu
Nant-yr-ogof
Pen-y-waen
TALARGOCH
FFORDD TALARGOCH
Play. Fld.
Ysgol Melyd Primary
Playing Field
Rhyd Farm
Caravan Park
Bryniau-ucha
Bryniau
Henblas Farm
Llais Y Gwynt
Bron-y-
GRAIG FAWR
29
34
A
B
C
D
E
1
2
3
4
5
6
7
305
06
07
84
83
382
81

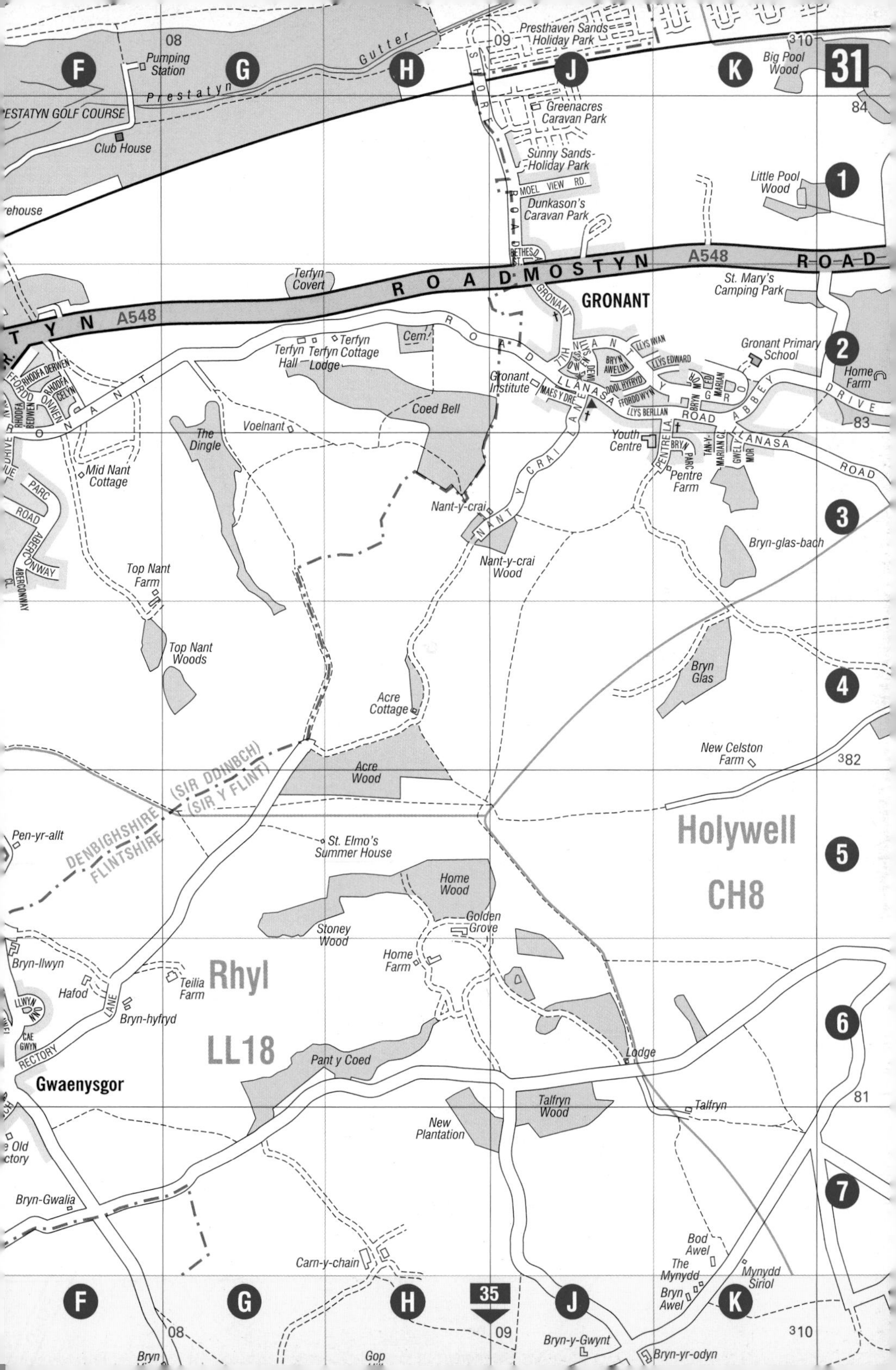

08
09
310
84
83
382
81
Pumping Station
Prestatyn Gutter
PRESTATYN GOLF COURSE
Club House
Presthaven Sands Holiday Park
Big Pool Wood
SHORE ROAD
Greenacres Caravan Park
Sunny Sands Holiday Park
MOEL VIEW RD.
Dunkason's Caravan Park
Little Pool Wood
BETHESDA ST.
MOSTYN ROAD
A548
Terfyn Covert
St. Mary's Camping Park
GRONANT
Gronant Primary School
Home Farm
ABBEY DRIVE
Terfyn Hall
Terfyn Lodge
Terfyn Cottage
Cem.
NANT ROAD
Gronant Institute
MAES Y DRE
LLANASA ROAD
LLYS IWAN
LLYS EDWARD
BRYN AWELON
FFORDD HYFRYD
FFORDD WYN
LLYS BERLLAN
Coed Bell
Voelnant
The Dingle
Mid Nant Cottage
Youth Centre
PENTRE LANE
Pentre Farm
MARIAN CL.
GWELY MOR
PARC ROAD
ABERCONWAY
Nant-y-crai
NANT Y CRAI LANE
Nant-y-crai Wood
Bryn-glas-bach
Top Nant Farm
Top Nant Woods
Bryn Glas
Acre Cottage
Acre Wood
New Celston Farm
DENBIGHSHIRE (SIR DDINBYCH)
FLINTSHIRE (SIR Y FLINT)
Pen-yr-allt
St. Elmo's Summer House
Holywell
CH8
Home Wood
Golden Grove
Stoney Wood
Home Farm
Bryn-llwyn
Hafod
Teilia Farm
Rhyl
LL18
Bryn-hyfryd
RECTORY LANE
CAE GWYN
Pant y Coed
Lodge
Gwaenysgor
Talfryn Wood
Talfryn
New Plantation
Old Rectory
Bryn-Gwalia
Carn-y-chain
Bod Awel
The Mynydd
Mynydd Siriol
Bryn Awel
Bryn-y-Gwynt
Bryn-yr-odyn
Bryn
Gop
35
F
G
H
J
K
1
2
3
4
5
6
7

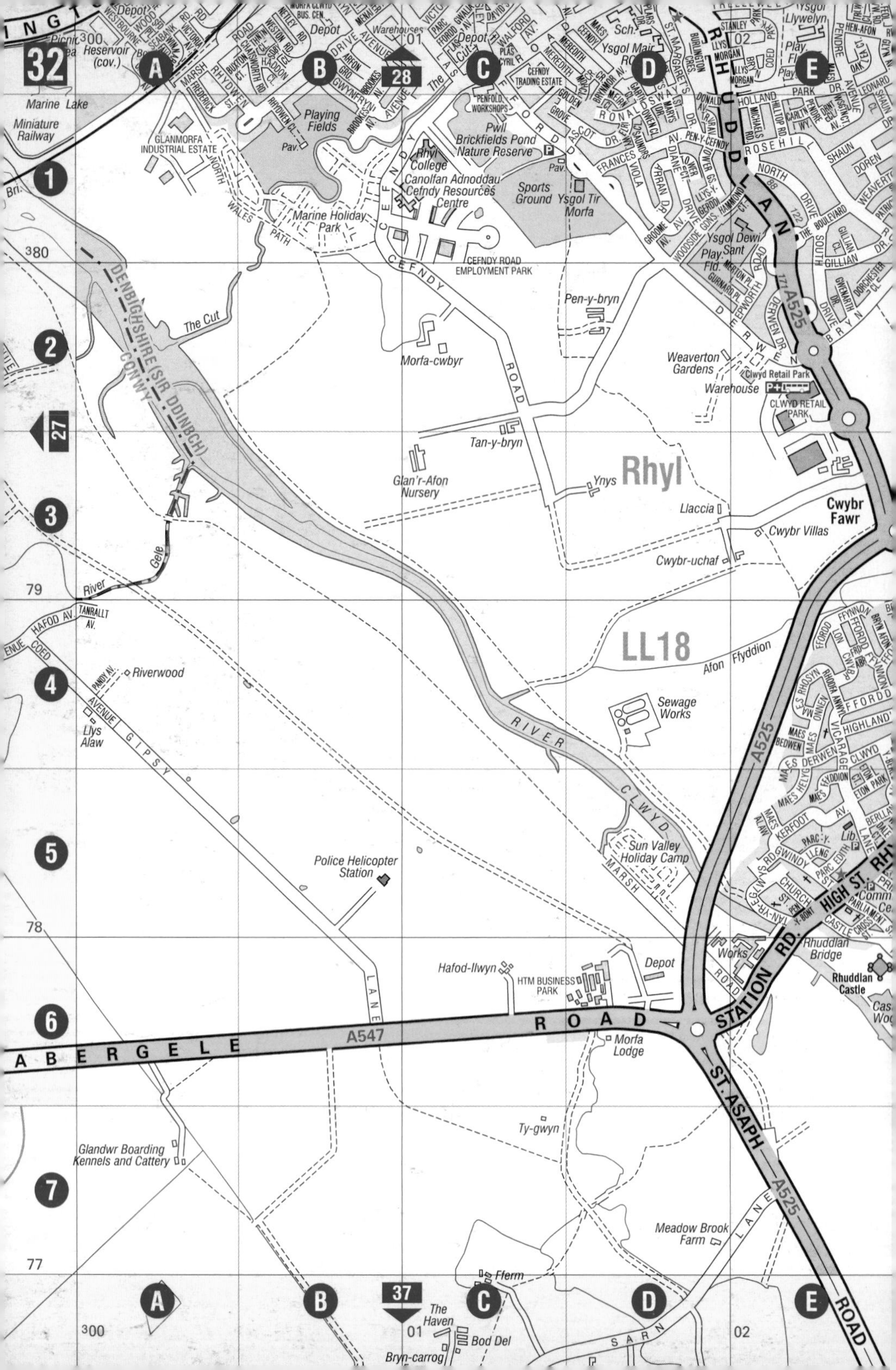
Marine Lake
Miniature Railway
Reservoir (cov.)
Depot
Warehouses
Playing Fields
Pav.
GLANMORFA INDUSTRIAL ESTATE
Marine Holiday Park
WALES PATH
Rhyl College
Canolfan Adnoddau Cefndy Resources Centre
CEFNDY ROAD EMPLOYMENT PARK
PENFOLD WORKSHOPS
CEFNDY TRADING ESTATE
Pwll Brickfields Pond Nature Reserve
Sports Ground
Ysgol Tir Morfa
Ysgol Mair RC
Ysgol Llywelyn
Ysgol Dewi Sant
Play. Fld.
RHUDDLAN ROAD
A525
Weaverton Gardens
Clwyd Retail Park
Warehouse
CLWYD RETAIL PARK
Pen-y-bryn
Morfa-cwbyr
CEFNDY ROAD
Tan-y-bryn
Glan'r-Afon Nursery
Ynys
Rhyl
Llaccia
Cwybr Fawr
Cwybr Villas
Cwybr-uchaf
LL18
Afon Fyddion
Sewage Works
RIVER CLWYD
Sun Valley Holiday Camp
MARSH ROAD
The Cut
DENBIGHSHIRE (SIR DDINBYCH)
CONWY
River Gele
TANRALLT AV.
HAFOD AV.
AVENUE COED
PANDY AV.
Riverwood
Llys Alaw
GIPSY LANE
Police Helicopter Station
Hafod-llwyn
HTM BUSINESS PARK
Depot
Works
Rhuddlan Bridge
Rhuddlan Castle
HIGH ST.
STATION RD.
ABERGELE ROAD
A547
Morfa Lodge
ST. ASAPH ROAD
Ty-gwyn
Glandwr Boarding Kennels and Cattery
Meadow Brook Farm
LANE
Fferm
The Haven
Bod Del
Bryn-carrog
SARN
28
27
37
A
B
C
D
E
1
2
3
4
5
6
7
380
79
78
77
300
01
02

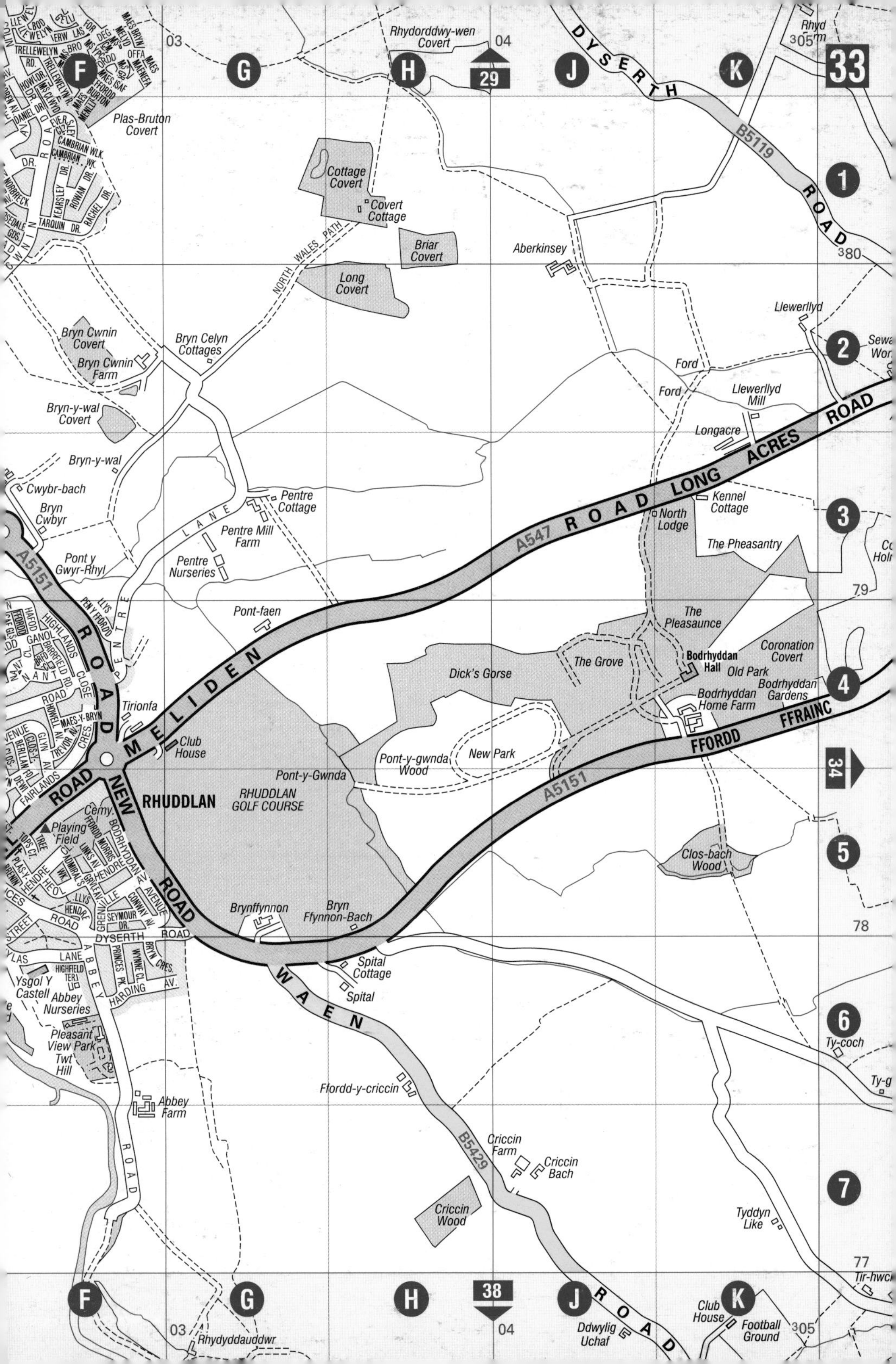
F
G
H
J
K
29
38
34
03
04
305
1
2
3
4
5
6
7
380
79
78
77
DYSERTH ROAD
B5119
Rhydorddwy-wen Covert
Rhyd Fm
Plas-Bruton Covert
Cottage Covert
Covert Cottage
Briar Covert
Long Covert
NORTH WALES PATH
Aberkinsey
Llewerllyd
Sewa Wor
Ford
Llewerllyd Mill
Longacre
Bryn Cwnin Covert
Bryn Cwnin Farm
Bryn Celyn Cottages
Bryn-y-wal Covert
Bryn-y-wal
Cwybr-bach
Bryn Cwbyr
Pont y Gwyr-Rhyl
Pentre Cottage
Pentre Mill Farm
Pentre Nurseries
PENTRE LANE
A547 ROAD LONG ACRES ROAD
North Lodge
Kennel Cottage
The Pheasantry
Co Holr
Pont-faen
MELIDEN ROAD
A5151 ROAD
The Pleasaunce
The Grove
Bodrhyddan Hall
Coronation Covert
Old Park
Bodrhyddan Gardens
Bodrhyddan Home Farm
Dick's Gorse
New Park
Pont-y-gwnda Wood
Pont-y-Gwnda
FFORDD FFRAINC
A5151
Tirionfa
Club House
NEW ROAD
RHUDDLAN
RHUDDLAN GOLF COURSE
Playing Field
Cemy.
Clos-bach Wood
Brynffynnon
Bryn Ffynnon-Bach
DYSERTH ROAD
Spital Cottage
Spital
WAEN ROAD
B5429
Ty-coch
Ty-g
Ysgol Y Castell
Abbey Nurseries
Pleasant View Park
Twt Hill
Abbey Farm
ABBEY ROAD
HARDING AV.
LLYS HENDRE
Ffordd-y-criccin
Criccin Farm
Criccin Bach
Criccin Wood
Tyddyn Like
Tir-hwc
Club House
Football Ground
Ddwylig Uchaf
Rhydyddauddwr
TRELLEWELYN RD.
CAMBRIAN WLK.
KEARSLEY DR.
ROWAN DR.
RACHEL DR.
TARQUIN DR.
DANIEL DR.
HIGHLANDS
BARRFIELD RD.
HOWELL AV.
MAES-Y-BRYN
TREVOR AV.
FAIRLANDS
BODRHYDDAN AV.
CONWAY AV.
SEYMOUR DR.
GRENVILLE AV.
PRINCES PK.
WYNNE CL.
BRYN CRES.
HIGHFIELD TER.

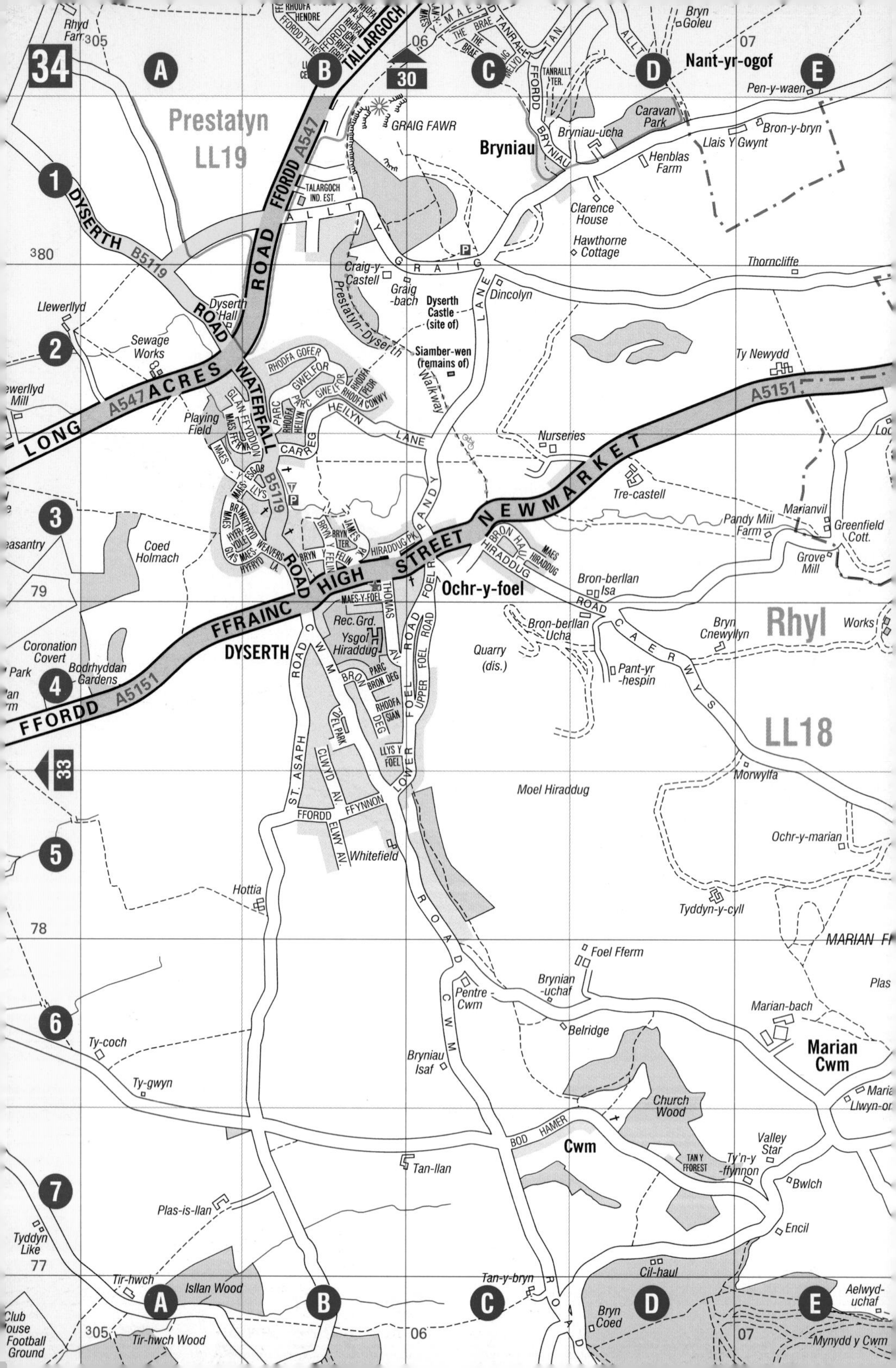
34
A
B
C
D
E
1
2
3
4
5
6
7
30
33
305
06
07
380
79
78
77
Rhyd Farm
Prestatyn
LL19
TALARGOCH
FFORDD TY NEWYDD
RHODFA HENDRE
FFORDD ALLT Y GRAIG
FFORDD A547
ROAD
DYSERTH
B5119
GRAIG FAWR
TALARGOCH IND. EST.
Craig-y-Castell
Graig-bach
Dyserth Castle (site of)
Siamber-wen (remains of)
Prestatyn-Dyserth Walkway
Bryniau
Bryniau-ucha
BRYNIAU
FFORDD TANRALLT
TANRALLT TER.
THE BRAE
Bryn Goleu
Nant-yr-ogof
Pen-y-waen
Caravan Park
Llais Y Gwynt
Bron-y-bryn
Henblas Farm
Clarence House
Hawthorne Cottage
Thorncliffe
Dincolyn
LANE
Llewerllyd
Llewerllyd Mill
Dyserth Hall
Sewage Works
LONG ACRES
A547
WATERFALL
RHODFA GOFER
GWELFOR
PARC GWELFOR
RHODFA PEDR
RHODFA CONWY
HEILYN LANE
Playing Field
GLAN FFYDDION
MAES FFERN
CARREG
MAES-Y-ESGOB
LLYS
B5119
Ty Newydd
A5151
Nurseries
Tre-castell
NEWMARKET
Pandy Mill Farm
Marianvil
Greenfield Cott.
Grove Mill
PANDY
Pheasantry
Coed Holmach
BRYN HYFRYD
WEAVERS LA.
BRYN Y FELIN
BRYN TER.
JAMES PK.
HIRADDUG PK.
HIGH STREET
BRON HAUL
MAES HIRADDUG
HIRADDUG ROAD
Bron-berllan Isa
Ochr-y-foel
FFRAINC
DYSERTH
MAES-Y-FOEL
THOMAS AV.
FOEL ROAD
Rec. Grd.
Ysgol Hiraddug
Coronation Covert
Bodrhyddan Gardens
FFORDD A5151
Bron-berllan Ucha
Quarry (dis.)
Pant-yr-hespin
CAERWYS
Bryn Cnewyllyn
Rhyl
Works
LL18
ST. ASAPH ROAD
CWM
BRON PARC
BRON DEG
RHODFA SIAN
DEG
FOEL PARK
CLWYD AV.
UPPER FOEL ROAD
LOWER FOEL ROAD
LLYS Y FOEL
FFORDD FFYNNON
ELWY AV.
Whitefield
Moel Hiraddug
Morwylfa
Ochr-y-marian
Hottia
Tyddyn-y-cyll
MARIAN
Foel Fferm
Pentre Cwm
Brynian-uchaf
Belridge
Plas
Marian-bach
Marian Cwm
Ty-coch
Ty-gwyn
Bryniau Isaf
Church Wood
BOD HAMER
Cwm
TAN Y FFOREST
Ty'n-y-ffynnon
Valley Star
Bwlch
Tan-llan
Plas-is-llan
Encil
Tyddyn Like
Tir-hwch
Islan Wood
Tan-y-bryn
Cil-haul
Bryn Coed
Aelwyd-uchaf
Club House
Football Ground
Tir-hwch Wood
Mynydd y Cwm

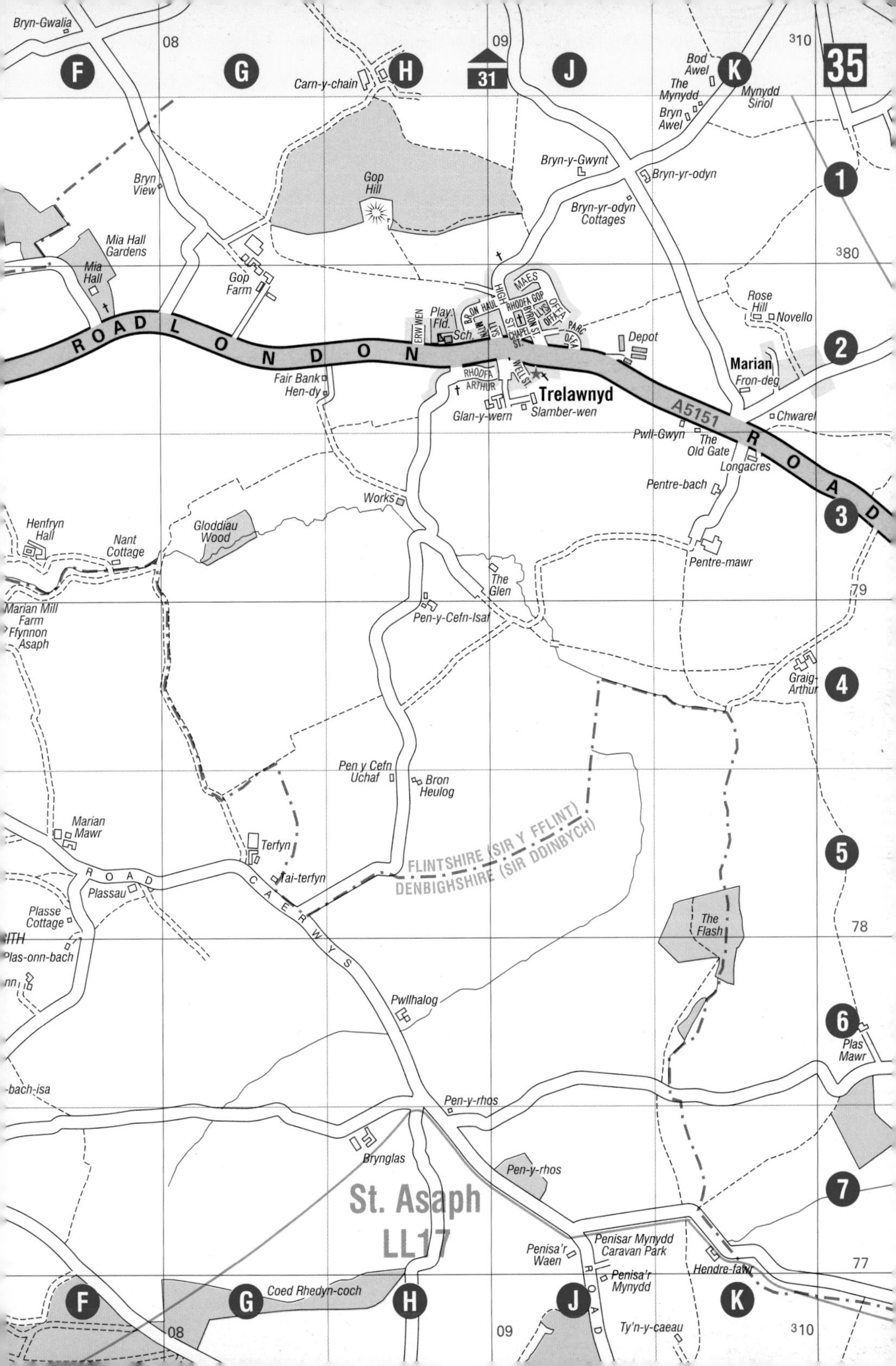

Bryn-Gwalia
08
09
310
F
G
H
J
K
31
Carn-y-chain
Bod Awel
The Mynydd
Bryn Awel
Mynydd Siriol
Bryn-y-Gwynt
Bryn-yr-odyn
Bryn-yr-odyn Cottages
Gop Hill
Bryn View
Mia Hall Gardens
Mia Hall
Gop Farm
1
380
Rose Hill
Novello
ROAD LONDON ROAD
Play. Fld.
Sch.
ERW WEN
BRON HAUL
MAES
RHODFA GOP
HIGH ST.
LLYS
BYRON ST.
OFFA
PARC OFFA
CHAPEL ST.
WELL ST.
RHODFA ARTHUR
Depot
Marian
Fron-deg
2
Fair Bank
Hen-dy
Trelawnyd
Glan-y-wern
Slamber-wen
A5151
ROAD
Chwarel
Pwll-Gwyn
The Old Gate
Longacres
Pentre-bach
Works
Henfryn Hall
Nant Cottage
Gloddiau Wood
3
Pentre-mawr
The Glen
79
Marian Mill Farm
Ffynnon Asaph
Pen-y-Cefn-Isaf
4
Graig-Arthur
Pen y Cefn Uchaf
Bron Heulog
Marian Mawr
Terfyn
FLINTSHIRE (SIR Y FFLINT)
DENBIGHSHIRE (SIR DDINBYCH)
5
ROAD
Tai-terfyn
Plassau
CAERWYS
Plasse Cottage
Plas-onn-bach
The Flash
78
Pwllhalog
6
Plas Mawr
-bach-isa
Pen-y-rhos
Brynglas
Pen-y-rhos
7
St. Asaph
LL17
Penisa'r Waen
Penisar Mynydd Caravan Park
Penisa'r Mynydd
Hendre-fawr
77
ROAD
Coed Rhedyn-coch
Ty'n-y-caeau

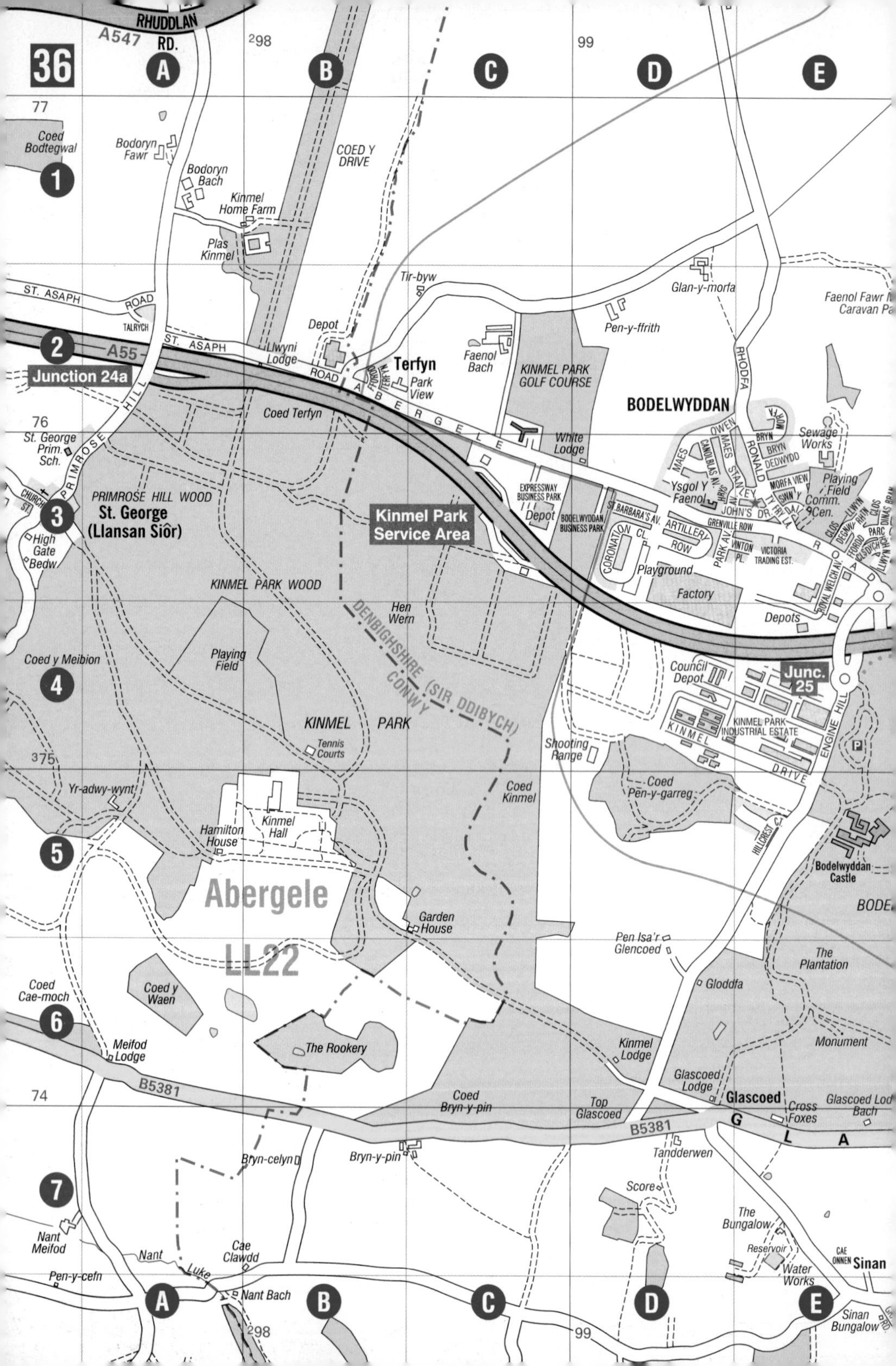
RHUDDLAN
A547 RD.
298
99
A
B
C
D
E
77
76
375
74
1
2
3
4
5
6
7
Coed Bodtegwal
Bodoryn Fawr
Bodoryn Bach
Kinmel Home Farm
Plas Kinmel
COED Y DRIVE
Tir-byw
Glan-y-morfa
Faenol Fawr Caravan Pa
ST. ASAPH ROAD
TALRYCH
A55
ST. ASAPH ROAD
Junction 24a
Llwyni Lodge
Depot
Terfyn
Park View
Faenol Bach
KINMEL PARK GOLF COURSE
Pen-y-ffrith
RHODFA
BODELWYDDAN
ABERGELE
Coed Terfyn
PRIMROSE HILL
St. George Prim. Sch.
White Lodge
Sewage Works
Ysgol Y Faenol
EXPRESSWAY BUSINESS PARK
Depot
BODELWYDDAN BUSINESS PARK
ST. BARBARA'S AV.
ARTILLERY ROW
CORONATION CL.
GRENVILLE ROW
PARK AV.
VINTON PL.
VICTORIA TRADING EST.
Playing Field
Comm. Cen.
Playground
Factory
Depots
ROYAL WELCH AV.
CHURCH ST.
PRIMROSE HILL WOOD
St. George (Llansan Siôr)
Kinmel Park Service Area
High Gate Bedw
KINMEL PARK WOOD
Hen Wern
DENBIGHSHIRE CONWY (SIR DDIBYCH)
Council Depot
Junc. 25
KINMEL PARK INDUSTRIAL ESTATE
KINMEL DRIVE
ENGINE HILL
Coed y Meibion
Playing Field
KINMEL PARK
Tennis Courts
Shooting Range
Coed Pen-y-garreg
Coed Kinmel
Yr-adwy-wynt
Kinmel Hall
Hamilton House
HILLCREST CT.
Bodelwyddan Castle
Abergele
LL22
Garden House
Pen Isa'r Glencoed
The Plantation
Coed Cae-moch
Coed y Waen
Gloddfa
The Rookery
Meifod Lodge
Monument
Kinmel Lodge
B5381
Coed Bryn-y-pin
Top Glascoed
Glascoed Lodge
Glascoed
Cross Foxes
Glascoed Lod Bach
B5381
GLA
Bryn-celyn
Bryn-y-pin
Tandderwen
Score
The Bungalow
Reservoir
Water Works
CAE ONNEN
Sinan
Nant Meifod
Nant Luke
Cae Clawdd
Pen-y-cefn
Nant Bach
Sinan Bungalow

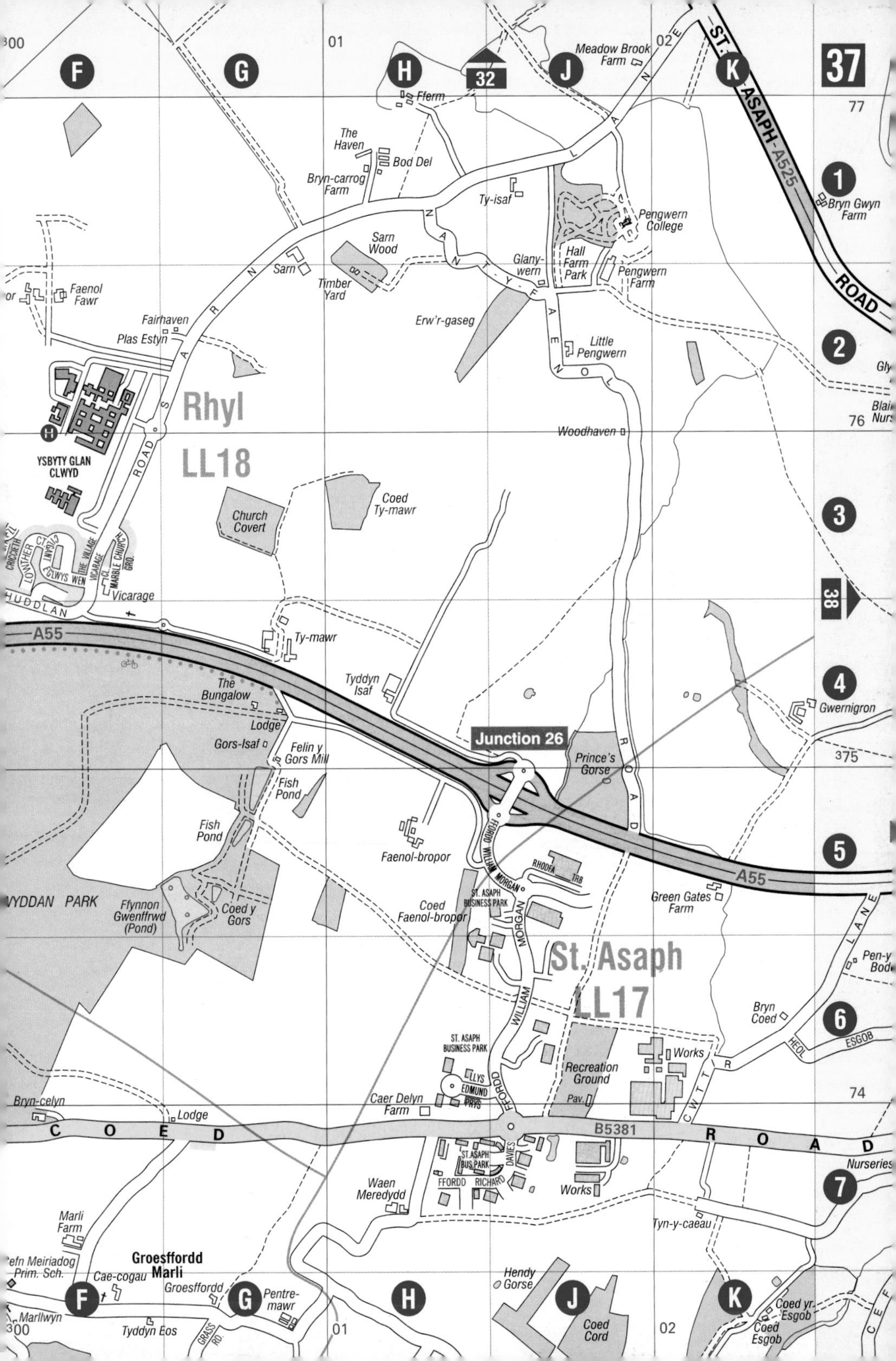

F
G
H
J
K
32
Meadow Brook Farm
ST. ASAPH-A525 ROAD
01
02
77
76
375
74
1
2
3
4
5
6
7
38
Fferm
The Haven
Bod Del
Bryn-carrog Farm
Ty-isaf
Pengwern College
Bryn Gwyn Farm
Sarn Wood
Sarn
Timber Yard
Glany-wern
Hall Farm Park
Pengwern Farm
NANT-Y-FAENOL ROAD
Faenol Fawr
Fairhaven
Plas Estyn
Erw'r-gaseg
Little Pengwern
SARN LANE
Rhyl
LL18
YSBYTY GLAN CLWYD
Woodhaven
Church Covert
Coed Ty-mawr
RHUDDLAN ROAD
LOWTHER CT.
CRICIETH
EGLWYS WEN
THE VILLAGE
VICARAGE CL.
MARBLE CHURCH GRO.
Vicarage
A55
Ty-mawr
The Bungalow
Tyddyn Isaf
Gwernigron
Lodge
Junction 26
Gors-Isaf
Felin y Gors Mill
Fish Pond
Prince's Gorse
Fish Pond
Faenol-bropor
FFORDD WILLIAM MORGAN
RHODFA TRB
ST. ASAPH BUSINESS PARK
Green Gates Farm
RHUDDLAN PARK
Ffynnon Gwenffrwd (Pond)
Coed y Gors
Coed Faenol-bropor
St. Asaph
LL17
LANE
Pen-y Bod
Bryn Coed
HEOL ESGOB
Works
Recreation Ground
Pav.
LLYS EDMUND PRYS
Bryn-celyn
Lodge
Caer Delyn Farm
COED ROAD
B5381
CWTTIR
Nurseries
ST. ASAPH BUS. PARK
DAVIES
FFORDD RICHARD
Waen Meredydd
Works
Tyn-y-caeau
Marli Farm
Cefn Meiriadog Prim. Sch.
Groesffordd Marli
Cae-cogau
Groesffordd
Pentre-mawr
Hendy Gorse
Coed Cord
Coed yr Esgob
Coed Esgob
Marllwyn
Tyddyn Eos
GRASS RD.
300

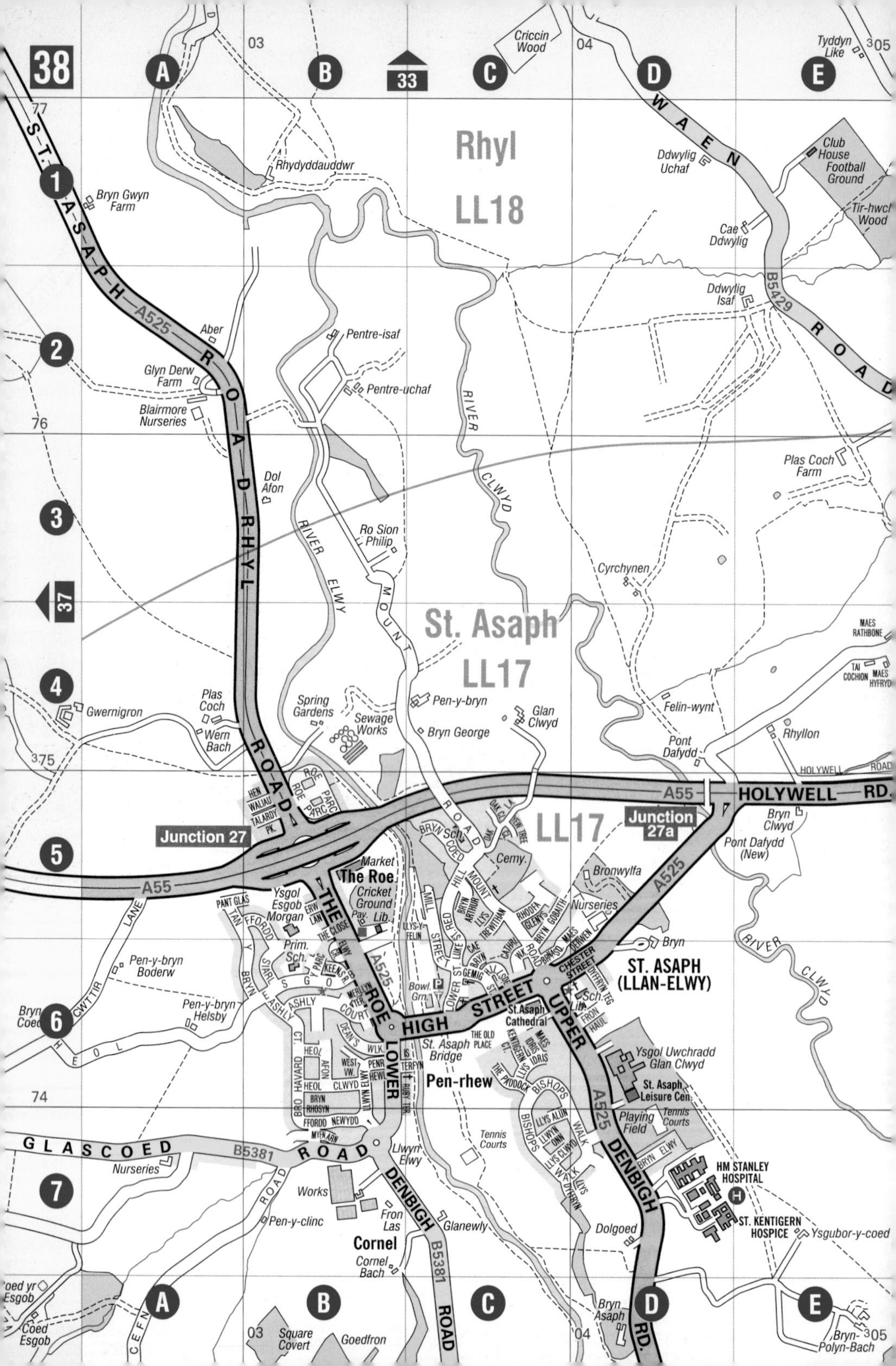
33
37
A
B
C
D
E
1
2
3
4
5
6
7
03
04
305
77
76
375
74
Rhyl
LL18
St. Asaph
LL17
LL17
Criccin Wood
Tyddyn Like
Rhydyddauddwr
Bryn Gwyn Farm
ST. ASAPH ROAD
RHYL ROAD
A525
Aber
Glyn Derw Farm
Blairmore Nurseries
Dol Afon
Pentre-isaf
Pentre-uchaf
RIVER ELWY
RIVER CLWYD
Ro Sion Philip
MOUNT ROAD
WAEN ROAD
B5429
Ddwylig Uchaf
Club House Football Ground
Tir-hwcl Wood
Cae Ddwylig
Ddwylig Isaf
Plas Coch Farm
Cyrchynen
MAES RATHBONE
TAI COCHION
MAES HYFRYD
Felin-wynt
Rhyllon
Pont Dafydd
Pont Dafydd (New)
HOLYWELL ROAD
HOLYWELL RD.
A55
Junction 27
Junction 27a
Bryn Clwyd
Gwernigron
Plas Coch
Wern Bach
Spring Gardens
Sewage Works
Pen-y-bryn
Bryn George
Glan Clwyd
ROE PARC
HEN WALIAU
TALARDY PK.
Market
The Roe
Cricket Ground
Pav.
Lib.
Sch.
Cemy.
BRYN COED
HILL
OAK CL.
OAK
YEW TREE
Bronwylfa
Nurseries
Bryn
ST. ASAPH (LLAN-ELWY)
PANT GLAS
Ysgol Esgob Morgan
THE CLOSE
THE ROE
LLYS-Y-FELIN
MILL STREET
LOWER ST.
ST. LUKE'S
BRYN ARTHUR
TREWITHAN
RHODFA GLENYS
BRYN GOBAITH
CAE BRYN
CATHR
GEMIG
HILLSIDE
WK.
MAES DERWEN
CHESTER STREET
DIFFRYN TEG
FRON HAUL
Prim. Sch.
Bowl. Grn.
LANE
CWTTIR
Pen-y-bryn Boderw
Pen-y-bryn Helsby
Bryn Coed
HEOL
ASHLY COURT
DEAN'S WLK.
HIGH STREET
UPPER DENBIGH
St. Asaph Cathedral
THE OLD PLACE
St. Asaph Bridge
KENTIGERN CT.
LLYS IDRIS
MAES IDRIS
Ysgol Uwchradd Glan Clwyd
St. Asaph Leisure Cen.
Tennis Courts
Playing Field
BRYN ELWY
HM STANLEY HOSPITAL
ST. KENTIGERN HOSPICE
Ysgubor-y-coed
LOWER DENBIGH
TERFYN
RUBY TER.
BRO HAVARD
HEOL AFON
WEST VW.
HEOL CLWYD
BRYN RHOSYN
FFORDD NEWYDD
Pen-rhew
THE PADDOCK
BISHOPS WALK
LLYS ALUN
LLWYN ONN
LLYS CLWYD
LLYS DYFFRYN
Tennis Courts
GLASCOED ROAD
B5381
Nurseries
Works
Llwyn Elwy
Fron Las
Glanewly
Pen-y-clinc
Cornel
Cornel Bach
DENBIGH ROAD
Dolgoed
Bryn Asaph
RD.
Coed yr Esgob
Coed Esgob
CEFN
Square Covert
Goedfron
Bryn-Polyn-Bach

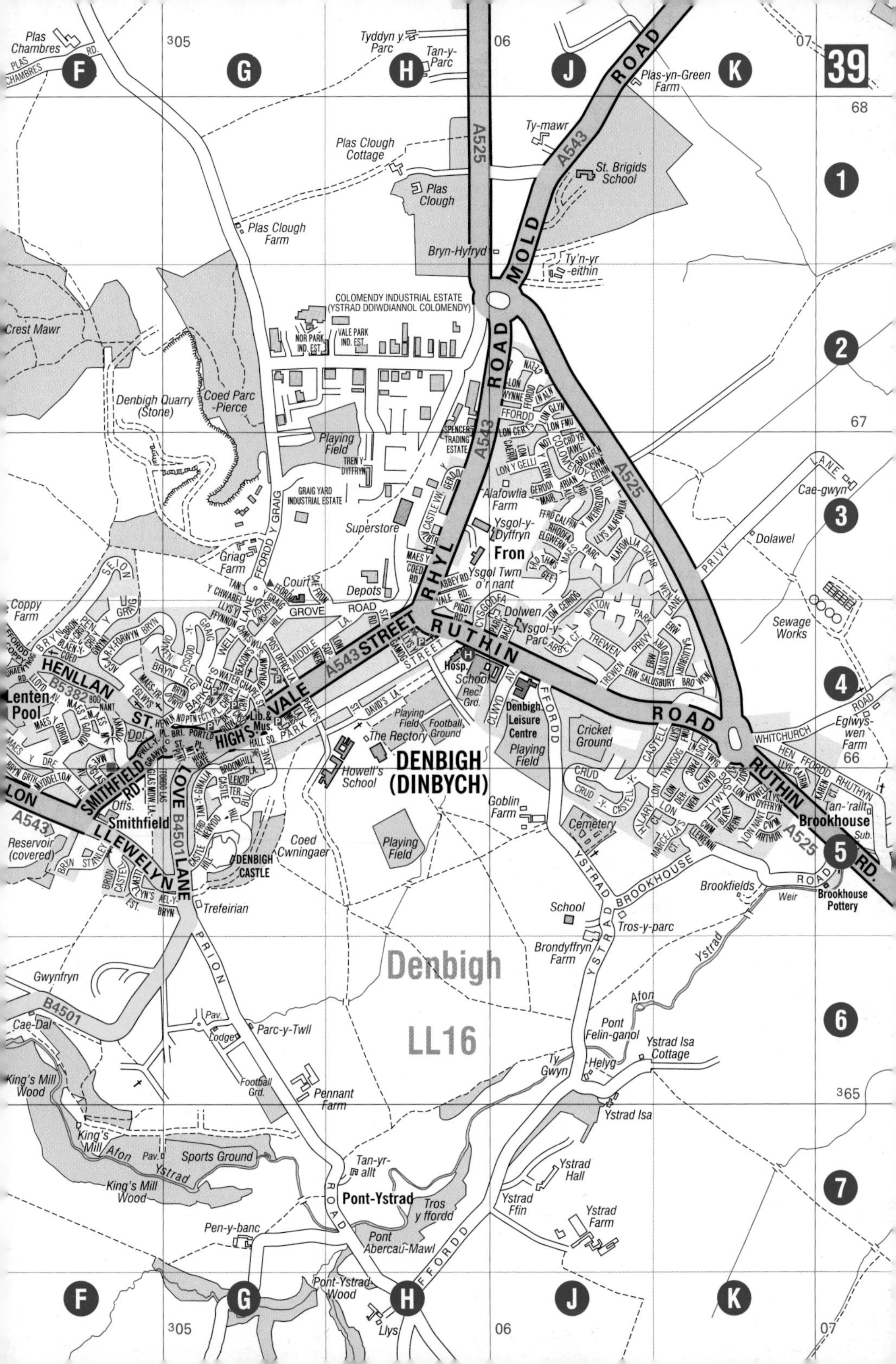

F
G
H
J
K
1
2
3
4
5
6
7
305
06
07
68
67
66
365
Plas Chambres
PLAS CHAMBRES RD.
Tyddyn y Parc
Tan-y-Parc
Plas-yn-Green Farm
MOLD ROAD
A543
A525
Ty-mawr
St. Brigids School
Plas Clough Cottage
Plas Clough
Plas Clough Farm
Bryn-Hyfryd
Ty'n-yr-eithin
COLOMENDY INDUSTRIAL ESTATE (YSTRAD DDIWDIANNOL COLOMENDY)
NOR PARK IND. EST.
VALE PARK IND. EST.
Crest Mawr
Denbigh Quarry (Stone)
Coed Parc-Pierce
Playing Field
SPENCER TRADING ESTATE
TREN Y DYFFRYN
GRAIG YARD INDUSTRIAL ESTATE
Superstore
Alafowlia Farm
Ysgol-y-Dyffryn
Fron
Ysgol Twm o'r nant
Cae-gwyn
Dolawel
PRIVY LANE
Sewage Works
Griag Farm
FFORDD Y GRAIG
Court
Depots
GROVE ROAD
RHYL
RUTHIN ROAD
Dolwen
Ysgol-y-Parc
Coppy Farm
HENLLAN ST.
B5382
Lenten Pool
VALE STREET
HIGH ST.
Lib.& Mus.
Hosp.
School
Rec. Grd.
Denbigh Leisure Centre
Playing Field
Football Ground
The Rectory
Howell's School
DENBIGH (DINBYCH)
Cricket Ground
WHITCHURCH ROAD
Eglwys-wen Farm
HEN FFORDD RHUTHYN
Tan-'rallt
Brookhouse
Sub.
SMITHFIELD RD.
Offs.
Smithfield
LOVE LANE
B4501
LLEWELYN
LON
Reservoir (covered)
DENBIGH CASTLE
Coed Cwningaer
Goblin Farm
Cemetery
Playing Field
Brookfields
Weir
Brookhouse Pottery
BROOKHOUSE ROAD
YSTRAD
School
Tros-y-parc
Trefeirian
Brondyffryn Farm
Denbigh
LL16
Gwynfryn
B4501
Cae-Dal
PRION ROAD
Pav.
Lodge
Parc-y-Twll
Afon Ystrad
Pont Felin-ganol
Ystrad Isa Cottage
Ty Gwyn
Helyg
King's Mill Wood
Football Grd.
Pennant Farm
Ystrad Isa
King's Mill
Sports Ground
Ystrad Hall
Tan-yr-allt
Pont-Ystrad
Tros y ffordd
Ystrad Ffin
Ystrad Farm
Pen-y-banc
Pont Abercaû-Mawl
FFORDD
Pont-Ystrad Wood
Llys

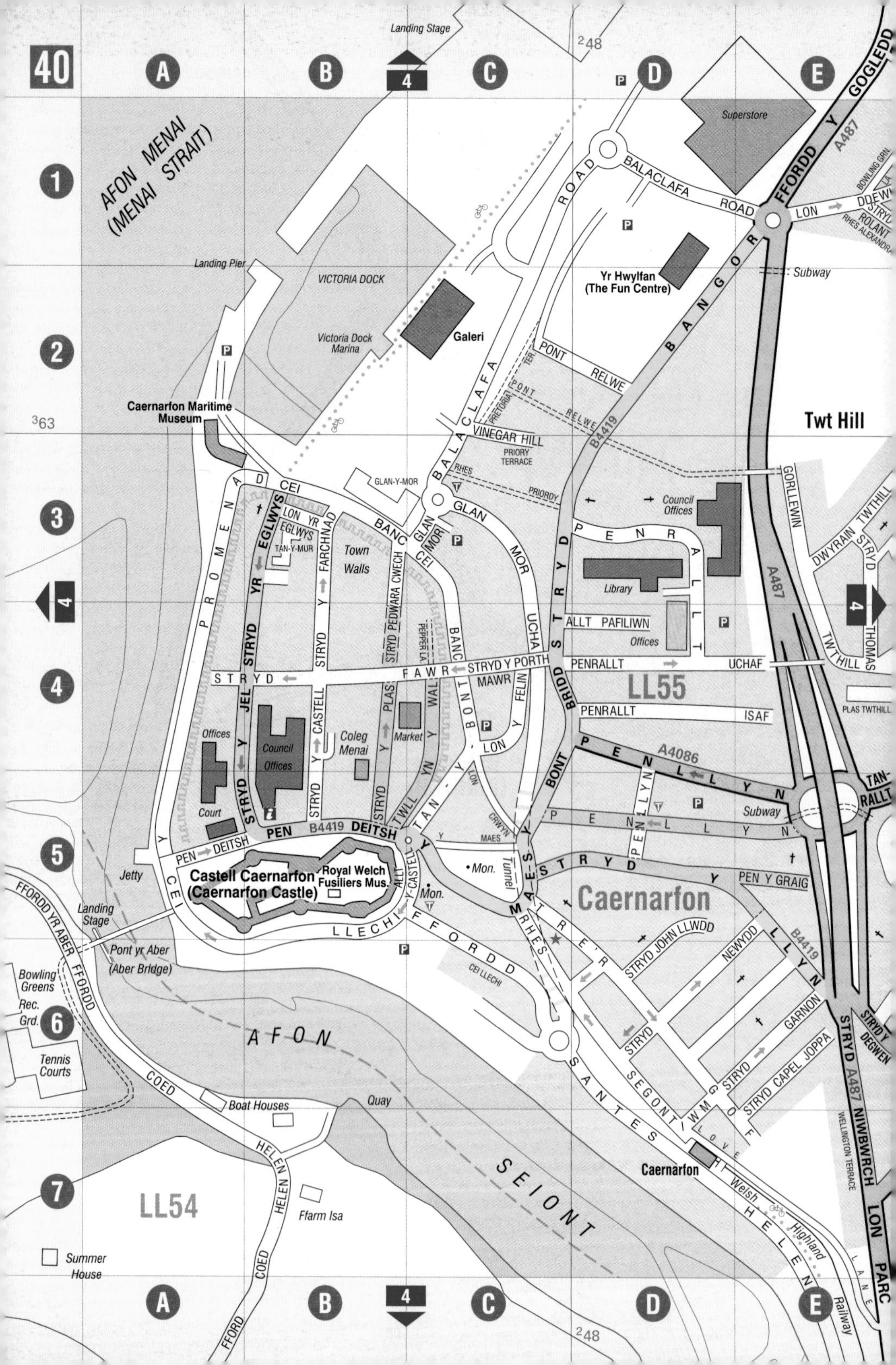
A
B
C
D
E
1
2
3
4
5
6
7
4
Landing Stage
AFON MENAI (MENAI STRAIT)
Superstore
FFORDD Y GOGLEDD
A487
BALACLAFA ROAD
ROAD
LON
BOWLING GRN.
DDEWI
STRYD
ROLANT
RHES ALEXANDRA
Subway
Landing Pier
VICTORIA DOCK
Victoria Dock Marina
Galeri
Yr Hwylfan (The Fun Centre)
BANGOR
PONT RELWE
PRETORIA TER.
PONT RELWE
B4419
Caernarfon Maritime Museum
BALACLAFA
VINEGAR HILL
PRIORY TERRACE
RHES PRIORDY
Twt Hill
GORLLEWIN
DWYRAIN TWTHILL
STRYD
Council Offices
GLAN-Y-MOR
CEI BANC
LON YR EGLWYS
TAN-Y-MUR
PROMENAD
STRYD YR EGLWYS
STRYD Y FARCHNAD
Town Walls
STRYD PEDWARA CWECH
PEPPER LA.
GLAN MOR
BANC
UCHA
STRYD BRIDD
PENRALLT
Library
ALLT PAFILIWN
Offices
TWTHILL
THOMAS
STRYD FAWR
STRYD Y PORTH MAWR
PENRALLT UCHAF
LL55
PLAS TWTHILL
PENRALLT ISAF
Offices
STRYD Y JEL
Council Offices
STRYD Y CASTELL
Coleg Menai
STRYD Y PLAS
Market
YN Y WAL
BONT Y TAN
LON Y FELIN
PEN Y BONT
A4086
PEN LLYN
TAN-RALLT
Court
CRWYN
Subway
PEN DEITSH
B4419
TWLL
Y MAES
Castell Caernarfon (Caernarfon Castle)
Royal Welch Fusiliers Mus.
ALLT Y CASTELL
Mon.
Tunnel
MAES
STRYD Y PEN Y GRAIG
Caernarfon
Jetty
CEI LLECHI
FFORDD
CEI LLECHI
TRE'R
RHES
STRYD JOHN LLWDD
NEWYDD
LLYN
B4419
FFORDD YR ABER
Landing Stage
Pont yr Aber (Aber Bridge)
Bowling Greens
Rec. Grd.
Tennis Courts
AFON
STRYD
SANTES
STRYD GARNON
STRYD Y DEGWEN
STRYD CAPEL JOPPA
STRYD A487 NIWBWRCH
WELLINGTON TERRACE
COED
Boat Houses
Quay
SEIONT
SEGONT
CWM
GOF
LOVE
Caernarfon
HELEN
Welsh Highland
Railway
LON PARC
LANE
LL54
Ffarm Isa
Summer House
FFORD
248
363

INDEX

Including Streets, Places & Areas, Hospitals & Hospices, Industrial Estates,
Selected Flats & Walkways, Stations and Selected Places of Interest.

HOW TO USE THIS INDEX

1. Each street name is followed by its Postcode District and then by its Locality abbreviation(s) and then by its map reference;
   e.g. **Abbey Rd.** LL18: Rhud . . . .6F **33** is in the LL18 Postcode District and the Rhuddlan Locality and is to be found in square 6F on page **33**. The page number is shown in bold type.

2. A strict alphabetical order is followed in which Av., Rd., St., etc. (though abbreviated) are read in full and as part of the street name;
   e.g. **Beech Mt.** appears after **Beechmere Ri.** but before **Beechwood Rd.**

3. Streets and a selection of flats and walkways too small to be shown on the maps, appear in the index with the thoroughfare to which it is connected shown in brackets; e.g. **Albert Ter.** LL16: Denb . . . .3H **39** (off Albert Rd.)

4. Addresses that are in more than one part are referred to as not continuous.

5. Places and areas are shown in the index in **BLUE TYPE** and the map reference is to the actual map square in which the town centre or area is located and not to the place name shown on the map; e.g. **ABERGELE** 55 **25**

6. An example of a selected place of interest is Bangor Cathedral 2E **10**

7. An example of a station is **Abergele & Pensarn Station (Rail)** 3K **25**

8. An example of a hospital or hospice is BODNANT UNIT 5G **15**

9. Map references shown in brackets; e.g. **Allt Pafiliwn** LL55: C'fn . . . .4D **4** (4D **40**) refer to entries that also appear on the large scale page **40**.

MYNEGAI

Yn cynnwys Strydoedd, Lleoedd ac Ardaloedd, Ysbytai a Hosbisys, Stadau Diwydiannol,
Fflatiau a Llwybrau Troed dethol, Gorsafoedd a Detholiad o Fannau Diddorol.

SUD I DDEFNYDDIO'R MYNEGAI HWN

1. Dilynir pob enw stryd gan ei Ardal Cod Post ac wedyn gan fyrfodd(au) ei Leoliad ac wedyn gan ei gyfeirnod map;
   e.e. mae **Abbey Rd.** LL18: Rhud . . . .6F **33** yn Ardal Cod Post LL18 a Lleoliad Rhuddlan a gellir dod o hyd iddi yn sgwâr 6F ar dudalen **33**. Dangosir Rhif y Dudalen mewn teip trwm.

2. Glynir yn gaeth wrth drefn y wyddor, gyda Av., Rd., St., ayb (er eu bod wedi eu talfyrru) yn cael eu darllen yn llawn ac fel rhan o enw'r stryd; e.e. mae **Beech Mt.** yn ymddangos ar ôl **Beechmere Ri.** ond cyn **Beechwood Rd.**

3. Mae strydoedd a detholiad o fflatiau a llwybrau troed sy'n rhy fychan i'w dangos ar y mapiau, yn ymddangos yn y mynegai gyda'r dramwyfa y mae'n gysylltiedig â hi wedi'i dangos mewn cromfachau; e.e. **Albert Ter.** LL16: Denb . . . .3H **39** (off Albert Rd.)

4. Cyfeirir at gyfeiriadau sydd mewn mwy nag un rhan fel cyfeiriadau nan ydynt yn barhaus.

5. Dangosir ardaloedd a lleoedd yn y mynegai mewn **TEIP GLAS** ac mae'r cyfeirnod map yn cyfeirio at y sgwâr ar y map lle mae lleoliad canol y dref neu'r ardal ac nid at yr enw lle a ddangosir ar y map; e.e. **ABERGELE**. . . . 5J **25**

6. Enghraifft o fan diddorol dethol yw Bangor Cathedral 2E **10**

7. Enghraifft o orsaf yw **Abergele & Pensarn Station (Rail)** 3K **25**

8. Enghraifft o Ysbyty neu Hosbis yw BODNANT UNIT. . . . 5G **15**

9. Mae'r cyfeirnodau map a ddangosir mewn cromfachau; e.e. **Allt Pafiliwn** LL55: C'fn . . . .4D **4** (4D **40**) yn cyfeirio at gofnodion sy'n ymddangos ar y tudalennau graddfa fawr **40**.

GENERAL ABBREVIATIONS *Talfyriadau Cyffredinol*

Av. : Avenue	**Cres.** : Crescent	**Ind.** : Industrial
Bk. : Back	**Dr.** : Drive	**Info.** : Information
Bri. : Bridge	**E.** : East	**La.** : Lane
Bldgs. : Buildings	**Ent.** : Enterprise	**Lit.** : Little
Bungs. : Bungalows	**Est.** : Estate	**Lwr.** : Lower
Bus. : Business	**Gdns.** : Gardens	**Mdw.** : Meadow
Cvn. : Caravan	**Gth.** : Garth	**M.** : Mews
Cen. : Centre	**Ga.** : Gate	**Mt.** : Mount
Chu. : Church	**Gt.** : Great	**Mus.** : Museum
Circ. : Circle	**Grn.** : Green	**Nth.** : North
Cl. : Close	**Gro.** : Grove	**Pde.** : Parade
Cotts. : Cottages	**Hgts.** : Heights	**Pk.** : Park
Ct. : Court	**Ho.** : House	**Pas.** : Passage

Pl. : Place
Prom. : Promenade
Res. : Residential
Ri. : Rise
Rd. : Road
Rdbt. : Roundabout
Shop. : Shopping

Sth. : South
Sq. : Square
Sta. : Station
St. : Street
Ter. : Terrace
Trad. : Trading
Up. : Upper

Vw. : View
Vs. : Villas
Vis. : Visitors
Wlk. : Walk
W. : West
Yd. : Yard

LOCALITY ABBREVIATIONS *Byrfoddau Lleoliadau*

Aber : **Abergele**
Bang : **Bangor**
Beau : **Beaumaris**
Belg : **Belgrano**
Bode : **Bodelwyddan**
B Pyd : **Bryn Pydew**
Bryn M : **Bryn-y-maen**
C'fn : **Caernarfon**
Caet : **Caethro**
Col B : **Colwyn Bay**
Conwy : **Conwy**
Cwm D : **Cwm Dyserth**
D'wy : **Deganwy**
Denb : **Denbigh**
Dwy : **Dwygyfylchi**
Dys : **Dyserth**
Glan C : **Glan Conwy**
Glanw : **Glanwydden**
Glas : **Glascoed**

G Mar : **Groesffordd Marli**
Gron : **Gronant**
Gwae : **Gwaenysgor**
Kin B : **Kinmel Bay**
L'las : **Llanddulas**
L'fan : **Llandegfan**
Llan : **Llandudno**
Llan J : **Llandudno Junction**
L'gai : **Llandygai**
Llane R : **Llanelian-yn-Rhôs**
L'chan : **Llanfairfechan**
Llan P : **Llanfair Pwllgwyngyll**
L'nin : **Llangwstenin**
L'rhos : **Llanrhos**
L'wrn : **Llansadwrn**
L'faen : **Llysfaen**
Men B : **Menai Bridge**
Moch : **Mochdre**
Old C : **Old Colwyn**

Pabo : **Pabo**
Penm : **Penmaenmawr**
Pen B : **Penrhyn Bay**
P'side : **Penrhyn-side**
Pens : **Pensarn**
Pont R : **Pont-rug**
Prest : **Prestatyn**
Rhos S : **Rhôs-on-Sea**
Rhu : **Rhuallt**
Rhud : **Rhuddlan**
Rhyd : **Rhyd-y-foel**
Rhyl : **Rhyl**
Star : **Star**
St A : **St. Asaph**
St. G : **St. George**
T'bont : **Tal-y-bont**
Towy : **Towyn**
Trel : **Trelawnyd**

6G Rd. LL31: Llan J 5J **19**

A

Abbey Ct. LL16: Denb 4J **39**
    LL30: Llan 3E **14**
Abbey Dr. LL19: Gron 2K **31**
    LL28: Rhos S 5H **17**
Abbey Gro. LL28: Rhos S 5H **17**
Abbey Pl. LL30: Llan 3E **14**
Abbey Rd. LL16: Denb 3H **39**
    LL18: Rhud 6F **33**
    LL28: Rhos S 5H **17**
    LL30: Llan 3D **14**
    LL57: Bang 3D **10**
Abbey St. LL18: Rhyl 6A **28**
Aber Clwyd LL18: Kin B 1J **27**
Aberconway Cl. LL19: Prest 3F **31**
Aberconway Rd. LL19: Prest 3E **30**
Aberconwy Holiday Home & Leisure Pk.
    LL32: Conwy 3C **18**
Aberconwy House 5G **19**
Aber Ct. LL19: Prest 5A **30**
Aber Dr. LL30: Llan 3B **12**
Abergavenny Rd. LL30: Llan 3H **15**
ABERGELE 5J **25**
Abergele & Pensarn Golf Course 6H **25**
Abergele & Pensarn Station (Rail) . .3K **25**
Abergele Leisure Cen. 5K **25**
Abergele Rd. LL18: Bode 2B **36**
    LL18: Rhud 7K **27**
    LL22: L'las 4C **24**
    LL22: St. G 7K **27**
    LL29: Col B, Old C 3K **21**
Aber Pl. LL30: Llan 3B **16**
Aber Rd. LL19: Prest 2D **30**
    LL33: L'chan 6A **12**
Abraham's La. LL16: Denb 4G **39**
Accar-y-Forwyn LL16: Denb 4F **39**
Adele Av. LL19: Prest 3K **29**
Adelphi St. LL30: Llan 3H **15**
Admiral's Wlk. LL18: Rhud 5F **33**
Ael y Broch LL29: Col B 4K **21**

Ael Y Bryn LL30: Llan 3B **16**
          (shown as Hillside)
    LL57: Bang 1E **10**
Ael-y-Bryn LL16: Denb 5G **39**
Ael-y-Bryn Rd. LL29: Col B 3K **21**
Ael-y-Garth LL55: C'fn 3D **4**
Agnes Gro. LL29: Col B 3A **22**
Ainon Cl. LL57: Bang 4C **10**
Ainon Rd. *LL57: Bang* 4C **10**
        (shown as Ffordd Ainon)
Ala Las LL55: C'fn 2D **4**
Albert Dr. LL31: D'wy 4H **19**
Albert Dr. Gdns. LL31: D'wy 3J **19**
Albert Gdns. LL30: Llan 5J **15**
Albert Pl. LL29: Col B 3A **22**
    LL29: Old C 3D **22**
Albert St. LL18: Rhyl 6C **28**
    LL30: Llan 3G **15**
    LL57: Bang 2D **10**
         (shown as Stryd Albert)
Albert Ter. *LL16: Denb* 3H **39**
         (off Albert Rd.)
Albion St. LL30: Llan 3G **15**
Alder Ct. LL18: Rhyl 5F **29**
Aled Av. LL18: Rhyl 7C **28**
Aled Cl. LL22: Aber 4J **25**
Aled Dr. LL28: Rhos S 7G **17**
Aled Gdns. LL18: Kin B 2G **27**
Alexanders Way LL18: Kin B 2J **27**
Alexandra Dr. LL19: Prest 5A **30**
Alexandra Pk. LL34: Penm 2K **13**
Alexandra Pas. *LL30: Llan* 3G **15**
         (off Bodafon St.)
Alexandra Rd. LL18: Rhyl 4C **28**
    LL22: Aber 5J **25**
    LL29: Col B 2J **21**
    LL30: Llan 5F **15**
Alexandra Ter. *LL55: C'fn* 1E **40**
        (shown as Rhes Alexandra)
Alice Gdns. LL30: Llan 5J **15**
Alice in Wonderland Vis. Cen. 3G **15**
         (off Trinity Sq.)
Allanson Rd. LL28: Rhos S 7H **17**
Allant Cl. LL31: D'wy 3H **19**
Allt Cadnant LL55: C'fn 4D **4**

Allt Cichle LL59: L'fan 7A **6**
Allt Dewi LL57: Bang 4C **10**
Allt Glanrafon LL57: Bang 2D **10**
Allt Goch Bach
    LL58: Beau 3G **7**
Allt Goch Fawr LL58: Beau 1F **7**
Allt Pafiliwn LL55: C'fn 4D **4** (4D **40**)
Alltwen LL29: L'faen 5K **23**
Allt-y-Castell LL55: C'fn 4C **4** (5B **40**)
Allt-y-Coed LL32: Conwy 7F **19**
Allt y Gth. LL57: Bang 1E **10**
Allt y Graig LL18: Dys 1B **34**
Alma St. LL58: Beau 2J **7**
Alotan Cres. *LL57: Bang* 6K **9**
         (shown as Cilgant Alotan)
Alpine Rd. LL29: Old C 5E **22**
Alwen Dr. LL28: Rhos S 7F **17**
Ambrose St. *LL57: Bang* 2F **11**
        (shown as Stryd Ambrose)
Anglesey Rd. LL30: Llan 2E **14**
Anneddle LL22: Pens 5A **26**
Apollo Cinema
    Bangor 3D **10**
    Rhyl .5A **28**
Aquarium Cres. LL18: Rhyl 6A **28**
Aquarium St. LL18: Rhyl 6A **28**
Archers Grn. LL19: Prest 3A **30**
Ardre Cl. LL34: Penm 2J **13**
Arfon Av. LL19: Prest 4H **29**
Arfon Gro. LL18: Rhyl 7B **28**
Arfon Leisure Cen. 2E **4**
Arfon Sports Hall 3C **10**
Arfon Tennis Cen. 2F **5**
Arfryn LL30: L'rhos 7G **15**
Argoed LL18: Kin B 4H **27**
Argoed Flats LL33: L'chan 5B **12**
Argyll Rd. LL30: Llan 4H **15**
Arnold Cl. LL58: Beau 1J **7**
Arnold Gdns. LL18: Kin B 2G **27**
Arran Dr. LL18: Rhyl 1D **32**
Arran Rd. LL28: Rhos S 1G **21**
Artillery Row LL18: Bode 3D **36**
Arvon Av. LL30: Llan 2F **15**
Arvonia Pas. LL30: Llan 3F **15**
Ascot Dr. LL18: Rhyl 1D **32**
Ash Ct. LL18: Rhyl 6E **28**
Ashdown Cl. LL28: Col B 5H **21**

Ash Gro. LL18: Kin B 2H **27**
LL19: Prest 3D **30**
Ashly Ct. LL17: St A 6B **38**
Ashworth Gorst Bus. Pk.
LL28: Rhos S 6H **17**
Askew St. *LL59: Men B 2K* ***9***
(shown as Ffordd y Coleg)
Aspen Gro. LL18: Kin B 2H **27**
Aspen Wlk. LL18: Rhyl 5F **29**
Assheton Ter. *LL55: C'fn 5D* ***4***
(off Henwalia)
Astley Ct. LL18: Kin B 1H **27**
Attlee Cl. LL30: Llan 5G **15**
Augusta St. LL30: Llan 3G **15**
Avallon Av. LL31: Llan J 5K **19**
Avenue, The LL19: Prest 4D **30**
(Coed Mor Dr.)
LL19: Prest 3E **30**
(East Av.)
Avondale Dr. LL18: Rhyl 6F **29**
Avon Ter. *LL29: Col B 3A* ***22***
(off Rhiw Bank Ter.)
Awelon LL22: Towy 4F **27**
Awelon Mor LL19: Prest 2B **30**
Awel y Mor *LL57: Bang 2F* ***11***
(off Gerddi Penlon)
Awel-y-Mor LL28: Rhos S 6H **17**

B

Bk. Bay View Rd. LL29: Col B 3A **22**
Bk. Belgrave Rd. LL29: Col B 3A **22**
Bk. Bod-Hyfryd Rd. *LL30: Llan 2F* ***15***
(off Bod-Hyfryd Rd.)
Bk. Cadwgan Rd. LL29: Old C 4D **22**
Bk. Charlton St. LL30: Llan 3G **15**
Bk. East Pde. LL30: Llan 3J **15**
Bk. Greenfield Rd. *LL29: Col B 3A* ***22***
(off Greenfield Rd.)
Bk. McKinley Rd. *LL31: Llan J 5K* ***19***
(off McKinley Rd.)
Bk. Madoc St. LL30: Llan 3G **15**
Bk. Regent St. LL57: Bang 2D **10**
Bk. Rhos Prom. *LL28: Rhos S 1K* ***21***
(off West Prom.)
Back Row LL16: Denb 4G **39**
Bk. South Pde. *LL30: Llan 2G* ***15***
(off Sth. Parade)
Bk. Station Rd. LL29: Old C 4E **22**
Bk. York Rd. LL31: D'wy 2F **19**
BAE CINMEL **2H 27**
BAE COLWYN **3A 22**
BAE PENRHYN **5E 16**
Balaclafa Rd. LL55: C'fn 3C **4** (1D **40**)
Balfour Rd. LL30: Llan 4J **15**
Balmoral Gro. LL18: Rhyl 7A **28**
Banastre Av. LL19: Prest 3C **30**
BANGOR **2E 10**
Bangor Cathedral 2E 10
Bangor City FC 3D 10
Bangor Crematorium
LL57: Bang 3G **11**
Bangor Cres. LL19: Prest 4B **30**
Bangor Mus. and Art Gallery 2E 10
Bangor Pier .7E 6
Bangor Rd. LL32: Conwy 4C **18**
LL34: Penm, Dwy 2G ***13***
(shown as Ffordd Bangor)
LL55: C'fn .2E ***4***
(shown as Ffordd Bangor, not continuous)
Bangor Station (Rail) 3D **10**
Bangor St. *LL55: C'fn 4C* ***40***
(shown as Stryd Bangor)
Bangor Swimming Pool 1E 10
Bank Quay *LL55: C'fn 3B* ***40***
(shown as Cei Banc)
Barkby Av. LL19: Prest 1D **30**
Barker's Well La. LL16: Denb 4G **39**
Barrfield Cl. LL18: Rhud 4F **33**
Barrfield Rd. LL18: Rhud 4F **33**
Barry Rd. Nth. LL18: Rhyl 7A **28**
Barry Rd. Sth. LL18: Rhyl 7A **28**
Bastion Cl. LL19: Prest 1C **30**
Bastion Gdns. LL19: Prest 2C **30**
Bastion Rd. LL19: Prest 1C **30**
Bath St. LL18: Rhyl 5B **28**
Bay Trad. Est. LL18: Kin B 2H **27**
Bay Vw. Rd. LL29: Col B 3A **22**
Bay Vw. Ter. *LL30: Llan 2E* ***14***
(off Llican Ter.)
Beach Av. LL19: Prest 1D **30**
LL29: Old C 3C **22**
Beach Cl. LL19: Prest 1C **30**
Beach Dr. LL30: Pen B 4E **16**
Beach Ho. Rd. LL22: L'las 4D **24**
Beach Rd. LL22: L'las 3B **24**
(not continuous)
LL29: Old C 4D **22**
LL31: D'wy 2F **19**
LL34: Penm 1J **13**
LL57: Bang 1F ***11***
(shown as Lon Glan Mor)
Beach Rd. E. LL19: Prest 1C **30**
Beach Rd. W. LL19: Prest 1B **30**
Beacons Hill LL16: Denb 4G **39**
Beacons Way LL32: Conwy 3E **18**
Beal Av. LL29: Col B 5B **22**
BEAUMARIS **1J 7**
Beaumaris Castle 1K 7
Beaumaris Dr. LL30: Llan 5H **15**
Beaumaris Gaul and Courthouse 1J 7
Beaumaris Mus. of Childhood 1K 7
Bedford St. LL18: Rhyl 6B **28**
Beech Av. LL18: Rhyl 5D **28**
Beech Gro. *LL34: Penm 2J* ***13***
(off Ffordd Cwm)
Beechmere Ri. LL28: Moch 3F **21**
Beech Mt. LL29: Col B 3A **22**
Beechwood Rd. LL18: Rhyl 4C **28**
Bee Gdns. LL22: Aber 5J **25**
BELGRANO **5B 26**
Belgrave Rd. LL29: Col B 3A **22**
Bell Cotts. LL34: Penm 2J **13**
Belle Vw. Ter. LL30: Llan 2E **14**
Belmont Av. *LL57: Bang 3B* ***10***
(shown as Rhodfa Belmont)
Belmont Dr. *LL57: Bang 3B* ***10***
(shown as Heol Belmont)
Belmont Rd. *LL57: Bang 3A* ***10***
(shown as Ffordd Belmont)
Belmont St. *LL57: Bang 3C* ***10***
(shown as Stryd Belmont)
Belvedere Pl. LL30: Llan 4H **15**
Benarth Rd. LL30: Pen B 4E **16**
LL32: Conwy 6G **19**
Berllan LL22: Pens 3K **25**
Berllan Av. LL18: Rhud 5E **32**
Berry St. LL32: Conwy 5G **19**
Berthes Rd. LL29: Old C 4D **22**
Berthglyd LL22: Aber 7A **26**
Berth-y-Glyd LL32: Conwy 7F **19**
Berth-y-Glyd Rd. LL29: Old C 4G **23**
Berwyn Ct. LL28: Rhos S 1G **21**
Berwyn Cres. LL18: Kin B 1J **27**
LL19: Prest 2A **30**
Berwyn Gdns. LL30: Pen B 4E **16**
Bethel Cl. *LL33: L'chan 5B* ***12***
(off Bryn Rd.)
Bethel Rd. *LL55: C'fn 3E* ***4***
(shown as Ffordd Bethel)
Bethesda St. LL19: Gron 1J **31**
Betws Av. LL18: Kin B 1H **27**
Beulah Av. LL22: L'las 5B **24**
Beulah Sq. *LL55: C'fn 5D* ***4***
(shown as Cae Groes)
Bevan Av. LL28: Moch 2F **21**
Beverley Dr. LL19: Prest 3A **30**
Birch Gro. LL18: Rhyl 5E **28**
LL19: Prest 5D **30**
Birkdale Av. LL29: Col B 4J **21**
Birkdale Cl. LL29: Col B 4J **21**
Bishops Mill Rd. *LL57: Bang 3E* ***10***
(shown as Lon Melin Esgob)
Bishops Quarry Rd.
LL30: Llan .1D **14**
Bishops Wlk. LL17: St A 6C **38**
Bishopswood Rd.
LL19: Prest 6D **30**
BIWMARES **1J 7**
Blackcat Rdbt. LL28: Glan C 6B **20**
Blackmarsh Rd. LL28: Moch 3E **20**
Blaen Cwm LL30: Llan 5G **15**
Blaen-y-Coed LL16: Denb 4F **39**
Blaen-y-Wawr LL57: Bang 5B **10**
Blean Wern LL16: Denb 5K **39**
Bodafon Farm Pk. & Bird of Prey Cen.
. . . . .4A 16
Bodafon Rd. LL30: Llan 4A **16**
Bodafon St. LL30: Llan 3G **15**
Bodannerch Dr. LL18: Rhyl 5C **28**
BODELWYDDAN **3E 36**
Bodelwyddan Av. LL18: Kin B 2J **27**
LL29: Old C 4E **22**
Bodelwyddan Bus. Pk.
LL22: Bode 3C **36**
Bodelwyddan Castle 5E 36
Bodelwyddan Pk. 5E 36
Bodfor St. LL18: Rhyl 6B **28**
Bod Hamer LL18: Cwm D 7C **34**
Bod-Hyfryd Rd. LL30: Llan 2F **15**
Bod Llewelyn LL18: Rhyl 7F **29**
Bodlondeb Hill LL30: Llan 2F **15**
Bod Nant LL16: Denb 4F **39**
Bodnant Av. LL19: Prest 2E **30**
Bodnant Cres. LL30: Llan 5H **15**
Bodnant Rd. LL28: Rhos S 1F **21**
LL30: Llan .5H **15**
BODNANT UNIT 5G 15
Bodowen Ter. LL59: Men B 3K **9**
Bodrhyddan Av. LL18: Rhud 5F **33**
Bodrhyddan Hall 4K 33
Bodysgallen La. LL30: L'rhos 1J **19**
Bonc Ter. *LL18: Trel 2J* ***35***
(off High St.)
Bont Bridd LL55: C'fn 4C **4** (5C **40**)
Bosworth Gro. LL19: Prest 3E **30**
Boughton Av. LL18: Rhyl 5C **28**
Boulevard, The LL18: Rhyl 1E **32**
LL19: Prest 4J **29**
Bowling Grn. La. LL55: C'fn 1E **40**
Brackley Av. LL29: Col B 2J **21**
Brae, The LL19: Prest 7C **30**
Brandon Ct. *LL18: Rhyl 5C* ***28***
(off Kinard Dr.)
Breeze Hill Estate
LL57: Bang 4B ***10***
(off Ffordd Penchwintan)
Breton St. LL30: Llan 3F **15**
Brettenham Rd.
LL28: Rhos S 1H **21**
Brewis Rd. LL28: Rhos S 6G **17**
Brickfield Ter. *LL31: Llan J 4K* ***19***
(off Glyn-y-Marl Rd.)
Brick St. LL57: Bang 2E **10**
Bridgegate Rd. LL18: Rhyl 5D **28**
Bridge Ind. Est. LL18: Rhyl 7B **28**
Bridge Rd. LL19: Prest 2C **30**
LL30: Llan .5F **15**
Bridge St. LL16: Denb 4G **39**
LL18: Rhyl .7A **28**
LL22: Aber .5K **25**
LL59: Men B 3K ***9***
(shown as Stryd y Bont)

Brighton Rd. LL18: Rhyl 6B 28
(not continuous)
Bright Ter. LL31: D'wy 3G 19
(off Penial St.)
Brig-y-Don LL19: Prest 3J 29
LL22: L'las 4A 24
Broad St. LL31: Llan J 4J 19
Broadway LL19: Prest 4A 30
LL28: Rhos S 1H 21
Broadway, The LL22: Aber 6J 25
Broadway Ct. LL22: Aber 5J 25
(off Broadway, The)
Bro Afallon LL16: Denb 3J 39
Bro Berllan LL18: Rhud 5F 33
(off Berllan Av.)
Bro Dawel LL59: Men B 1H 9
Bro Deg LL18: Rhyl 7F 29
Bro Elian LL29: Old C 7E 22
Bro Emrys LL57: T'bont 5J 11
(not continuous)
Bro Havard LL17: St A 6B 38
Bro Helen LL55: C'fn 5D 4
Bro Hyfryd LL59: Men B 2J 9
Bro Llewelyn LL59: L'fan 5A 6
Bro Madog LL29: Old C 6D 22
Brompton Av. LL28: Rhos S 7H 17
Brompton Pk. LL28: Rhos S 7G 17
Bron Castell LL16: Denb 5F 39
LL57: Bang 2F 11
Bron Deg LL18: Dys 4B 34
Bron Derw LL30: Pen B 5E 16
Bron Fedw LL59: Men B 2K 9
Bron Gele LL22: Belg 5B 26
Bron Haul LL18: Dys 3C 34
LL18: Rhyl 6F 29
LL18: Trel 2H 35
LL59: L'fan 6B 6
Bron Llyn LL22: L'las 4A 24
Bron Parc LL29: L'faen 6H 23
Bron Vardre Av. LL31: D'wy 3G 19
Bronwen Av. LL18: Kin B 2H 27
Bron Wern LL22: L'las 4A 24
Bronwylfa Sq. LL17: St A 6C 38
Bron-y-Crest LL16: Denb 4F 39
Bron-y-De LL57: Bang 5B 10
Bron-y-Felin LL59: L'fan 6B 6
Bron-y-Gaer LL31: D'wy 2H 19
Bron-y-Garth LL55: C'fn 3D 4
Bron-y-Llan LL29: L'faen 6J 23
Bron-y-Llan Rd. LL29: L'faen 6J 23
BRON-Y-NANT 1F 21
Bron-y-Nant Rd. LL28: Moch 2F 21
Bron yr Afon LL32: Conwy 6F 19
Bro Ogwen LL57: Bang 6K 9
Brook Av. LL22: Towy 5F 27
Brookdale Rd. LL18: Rhyl 6D 28
Brookes Av. LL18: Rhyl 7B 28
Brookes St. LL30: Llan 3G 15
Brookfield Dr. LL28: Rhos S 1F 21
BROOKHOUSE 5K 39
Brookhouse Pottery 5K 39
Brookhouse Rd. LL16: Denb 5J 39
Brooklands LL29: Old C 6E 22
Brookland Ter. LL31: D'wy 1F 19
(off Stamford St.)
Brook Pk. Av. LL19: Prest 2D 30
Brookside LL34: Penm 7K 13
(off Fairy Glen Rd.)
Broomhill La. LL16: Denb 4G 39
Bro Seiont LL55: C'fn 4F 5
Bro Seiri LL57: Bang 1F 11
(off Stryd Ambrose)
Bro Wen LL16: Denb 4K 39
Brun St. LL30: Llan 2E 14
Bryn LL57: L'gai 6H 11
Bryn Adda LL57: Bang 5A 10
Bryn Afon LL18: Rhud 4E 32
Brynafon LL59: Men B 3K 9

Bryn Arthur LL17: St A 5C 38
Bryn Av. LL18: Kin B 1J 27
LL18: Rhyl 5E 28
LL28: Rhos S 6H 17
LL29: Old C 4C 22
Bryn Awel LL18: Gwae 6E 30
LL32: Conwy 7E 18
LL59: L'fan 5B 6
(off Bro Llewelyn)
Bryn Bedw LL22: Aber 7J 25
Bryn Benarth LL32: Conwy 7G 19
Bryn Bras LL61: Llan P 3E 8
Bryn Bras Ter. LL61: Llan P 3E 8
(off Lon Drych)
Bryn Cadno LL29: Col B 5J 21
Bryn Carrog LL29: Col B 5J 21
Bryn Castell LL22: Aber 7J 25
LL32: Conwy 7F 19
Bryn Celli Ddu Burial Chamber 6A 8
Bryn Celyn LL22: L'las 4A 24
LL29: Col B 5J 21
LL32: Conwy 5F 19
Bryn Clwyd LL22: Aber 7J 25
Bryn Coch LL22: Aber 6K 25
Bryn Coed LL17: St A 5C 38
Bryn Coed Coch LL29: Old C 5E 22
Bryn Coed Pk. LL18: Rhyl 7E 28
Bryn Coed Ter. LL33: L'chan 5C 12
Bryn Colwyn LL29: Old C 3G 23
Bryn Cres. LL18: Rhud 6F 33
Bryn Ct. LL19: Prest 5B 30
Bryn Cwnin Rd. LL18: Rhyl 2E 32
Bryn Dedwydd LL16: Denb 4G 39
LL18: Bode 3E 36
Bryn Defaid LL28: Rhos S 7G 17
Bryn Derw LL31: Llan J 5A 20
Bryn Derwen LL22: Aber 7K 25
Bryn Difyr LL34: Penm 2J 13
Bryn Difyr Ter. LL57: Bang 3E 10
(shown as Rhes Bryn Difyr)
BRYN DULAS 6B 24
Bryndulas Rd. LL22: L'las 6B 24
Bryn Dymchwell LL57: L'gai 6H 11
Bryn Eglwys LL28: Rhos S 6G 17
LL31: Llan J 4J 19
Bryn Eilian LL55: C'fn 5F 5
Bryn Eirias Cl. LL29: Col B 4B 22
BRYN EISTEDDFOD 7B 20
Bryn Eithin LL32: Conwy 6G 19
Bryneithin Av. LL19: Prest 3D 30
Bryn Eithinog LL57: Bang 4B 10
Bryn Elian Gro. LL18: Kin B 4J 27
Bryn Elwy LL17: St A 7D 38
Bryn Eryr LL29: Col B 5J 21
Bryn Felin LL32: Conwy 7E 18
Bryn Ffynnon LL31: Llan J 4A 20
LL60: Star 2A 8
Bryn Ffynnon Ter. LL29: Old C 4D 22
Brynffynnon Ter. LL16: Denb 4G 39
(off Pwll-y-Grawys)
Bryn Gannock LL31: D'wy 1F 19
Bryn Garan LL29: Col B 4J 21
Bryn Garth LL16: Denb 4F 39
Bryn Gobaith LL17: St A 5C 38
Bryn Golan LL61: Llan P 3E 8
(off Lon Drych)
Bryn Golau LL22: L'las 5A 24
Bryngosol Gdns. LL30: L'rhos 7G 15
Bryngosol Rd. LL30: L'rhos 7G 15
Bryn Gwelfor LL22: Aber 7J 25
Bryn Gwyn LL22: Aber 7J 25
Bryn Gwynt La. LL30: P'side 4C 16
Bryn Gynog Cvn. Pk. LL32: Conwy . . .6E 18
Bryn Hafod LL18: Rhud 4F 33
LL28: Col B 3H 21

Brynhedydd Bay LL18: Rhyl 4F 29
Brynhedydd Cl. LL18: Rhyl 4F 29
Brynhedydd Rd. LL18: Rhyl 4F 29
Bryn Heli LL29: Old C 4F 23
Bryn Helyg LL22: Aber 7K 25
LL34: Penm 2K 13
Bryn Her Cotts. LL22: L'las 5A 24
(off Bryn Her Ter.)
Bryn Her Ter. LL22: L'las 5A 24
Bryn Heulog LL29: Old C 4E 22
LL31: Llan J 4A 20
Bryn Heulog Ter. LL57: Bang 5C 10
Bryn Hyfryd LL55: C'fn 6E 4
Brynhyfryd LL18: Dys 3A 34
Brynhyfryd Av. LL18: Rhyl 6C 28
Brynhyfryd Gro. LL22: Aber 6K 25
Bryn Hyfryd Pk. LL32: Conwy 5F 19
Bryn Hyfryd Ter. LL32: Conwy 5F 19
(off Bryn Hyfryd Pk.)
BRYNIAU 1C 34
Bryniau LL19: Prest 4E 30
Bryniau Duon LL59: L'fan 4C 6
Bryniau Pl. LL30: Llan 5F 15
Bryniau Rd. LL30: Llan 4F 15
Bryn Ithel LL22: Aber 7J 25
Bryn La. LL58: Beau 2J 7
Bryn Llan LL22: Aber 7K 25
BRYN-LLWYD 5B 10
Bryn Llwyd LL57: Bang 5B 10
Bryn Llwyd Bungs. LL57: Bang 5B 10
Brynllys LL19: Prest 7C 30
Bryn-Llys LL18: Rhyl 6F 29
Brynllys E. LL19: Prest 7C 30
Brynllys W. LL19: Prest 7C 30
Bryn Lupus Dr. LL30: L'rhos 7J 15
Bryn Lupus Rd. LL30: L'rhos 1H 19
Bryn Maelgwyn La. LL30: L'rhos 1H 19
Bryn Mair LL33: L'chan 6B 12
Bryn Mair Av. LL22: Aber 6K 25
Bryn Marl LL31: Llan J 3J 19
Bryn-Marl Rd. LL28: Moch 3E 20
Bryn Menai LL28: Rhos S 6H 17
Bryn Mor LL19: Gron 2K 31
Brynmor Av. LL18: Rhyl 7D 28
Bryn Mor Ct. LL30: Pen B 4D 16
Bryn Morfa LL18: Bode 3E 36
Brynmor Ter. LL34: Penm 2J 13
Bryn Ogwen LL57: Bang 6K 9
Bryn Onnen LL16: Denb 4F 39
LL22: Aber 7J 25
Bryn Parc LL19: Gron 3K 31
LL22: Aber 6K 25
BRYN PYDEW 2B 20
Brynpydew Rd. LL31: B Pyd 2B 20
Bryn Rhedyn LL33: L'chan 6B 12
Bryn Rhos LL55: C'fn 4G 5
Bryn Rhosyn LL17: St A 6B 38
LL22: Aber 7K 25
Bryn Rhyg LL29: Col B 5J 21
BRYN-RHYS .7B 20
Bryn Rd. LL22: Towy 3E 26
LL33: L'chan 5B 12
Bryn Salem LL61: Llan P 3C 8
Bryn Seion LL16: Denb 4F 39
BRYN SEIONT HOSPITAL 7D 4
(shown as YSBYTY BRYN SEIONT)
Bryn Seiri LL32: Conwy 7F 19
Bryn Seiriol LL30: L'rhos 1G 19
Bryn-Seiri Rd. LL32: Conwy 7F 19
Bryn Siriol LL16: Denb 4G 39
(off Mt. Pleasant)
Bryn Stanley LL16: Denb 5F 39
Bryn Teg LL16: Denb 4F 39
LL22: Towy 4F 27
LL58: Beau 1J 7
LL59: L'fan 6B 6
Bryn Teg Av. LL29: Old C 4C 22

Chapel St. LL16: Denb 4G **39**
LL18: Trel .2J **35**
LL22: Aber 6K **25**
LL28: Moch 4F **21**
LL30: Llan 3G **15**
LL32: Conwy 5G **19**
LL34: Penm 2G **13**
LL58: Beau 2J **7**
LL59: Men B 3K ***9***
(shown as Stryd-y-Capel)
Charleston Av. LL19: Prest 4J **29**
Charleston Cl. LL30: Pen B 5D **16**
Charleston Rd. LL30: Pen B 5D **16**
Charlesville Rd.
LL18: Kin B 2J **27**
Charlotte Rd. LL30: Llan 4H **15**
Charlton St. LL30: Llan 3G **15**
Charnell's Well LL16: Denb 4G **39**
Chatsworth Cl. LL19: Prest 5D **30**
Chatsworth Rd. LL18: Rhyl 7B **28**
Cheltenham Av. LL18: Rhyl 6E **28**
Cherry Cl. LL19: Prest 4H **29**
Cherry Tree Cl. LL28: Col B 4H **21**
Cherry Tree La. LL28: Col B 3H **21**
Cherry Tree Wlk. LL18: Rhyl 5E **28**
Chester Av. LL18: Kin B 4H **27**
Chester Cl. LL19: Prest 4B **30**
Chester St. LL17: St A 6D **38**
LL18: Rhyl 5C **28**
Chestnut Av. LL34: Dwy 6J **13**
Chestnut Ct. LL18: Rhyl 5E **28**
Chichester Dr. LL19: Prest 4B **30**
Children's Village 5A **28**
Christina Av. LL19: Prest 4J **29**
Church Cl. LL30: Pen B 5E **16**
Church Cres. LL30: Llan 4E **14**
Church Dr. LL28: Rhos S 5H **17**
Churchill Cl. LL29: Old C 4F **23**
LL30: Llan 5G **15**
Church La. LL19: Prest 3D **30**
LL55: C'fn 3B ***40***
(shown as Lon yr Eglwys)
Church Rd. LL28: Rhos S 6G **17**
LL34: Penm 1K **13**
Church St. LL18: Rhud 5E **32**
LL18: Rhyl 5B **28**
LL22: Aber 5K **25**
LL22: St. G 3A **36**
LL32: Conwy 5G **19**
LL55: C'fn 4B ***40***
(shown as Stryd yr Eglwys)
LL58: Beau 1J **7**
Church Vw. *LL18: Bode 3E* ***36***
(off John's Dr.)
Church Walks LL19: Prest 3D **30**
LL29: Old C 4D **22**
LL30: Llan 3F **15**
Churton Rd. LL18: Rhyl 5C **28**
Cil Bedlam LL59: Men B 2J **9**
Cilcant Elwy *LL17: St A 6B* ***38***
(shown as Elwy Cres.)
Cil Coed LL55: C'fn 4E **4**
LL57: Bang 5B **10**
Cilfan LL22: Pens 5A **26**
LL32: Conwy 7E **18**
Cilgant Alotan LL57: Bang 6K **9**
Cilgant Eglwys Wen LL18: Bode 3F **37**
Cilgant Pennant LL57: Bang 4C **10**
Cilgant Y Wern *LL28: Moch 3F* ***21***
(shown as Wern Cres.)
Cilgwyn LL31: Llan J 4A **20**
Cilgwyn Rd. LL29: Llane R 7K **21**
Cil Isaf LL55: C'fn 4E **4**
Cil Peblig LL55: C'fn 4E **4**
Cil Uchaf LL55: C'fn 4E **4**
Cil-y-Bont LL19: Prest 2D **30**
Cil y Graig LL61: Llan P 3E **8**
Cil-y-Graig LL59: Men B 1J **9**
Cineworld
Llandudno Junction 5K **19**
Circle, The LL18: Kin B 2G **27**
LL19: Prest 3E **30**
City Vw. *LL57: Bang 3E* ***10***
(off Stryd Isaf)
Clanwydden Rd.
LL31: Glanw 7D **16**
Claremont Rd. LL30: Llan 3G **15**
Clarence Cres. LL30: Llan 4J **15**
Clarence Dr. LL30: Llan 4J **15**
Clarence Gdns. LL30: Llan 4J **15**
Clarence Rd. LL30: Llan 3J **15**
Clarence St. *LL57: Bang 3C* ***10***
(shown as Stryd Clarence)
Clare Vs. LL30: Llan 5F **15**
Clarke Ter. *LL55: C'fn 4D* ***4***
(off Stryd William)
Claughton Rd. LL29: Col B 3K **21**
Clayton Dr. LL19: Prest 5D **30**
Clement Av. LL30: Llan 3F **15**
Clement Dr. LL18: Rhyl 7F **29**
Clement Pl. LL30: Llan 3F **15**
Clement St. LL30: Llan 3F **15**
Cliff Dr. LL30: Pen B 4E **16**
Cliff Gdns. LL29: Old C 3E **22**
Cliff Rd. LL29: Old C 4D **22**
Clifton Av. LL18: Rhyl 6D **28**
Clifton Gro. LL18: Rhyl 6D **28**
Clifton Pk. Rd. LL18: Rhyl 6D **28**
Clifton Ri. LL22: Aber 6H **25**
Clifton Rd. LL29: Old C 3E **22**
LL30: Llan 3F **15**
Clipterfyn LL22: L'las 5C **24**
Clive Av. LL19: Prest 3H **29**
Clobryn Rd. LL29: L'faen 4J **23**
Clog-y-Berth LL28: Col B 4H **21**
Cloisters, The LL28: Rhos S 5H **17**
Clonmel Pas. LL30: Llan 3G **15**
Clonmel St. LL30: Llan 3G **15**
Clos Beckett Cl.
LL28: Rhos S 1J **21**
Clos Bethel *LL33: L'chan 5B* ***12***
(off Bryn Rd.)
Clos Bodnant LL19: Prest 2D **30**
Clos Chatworth Cl.
LL28: Rhos S 1J **21**
Clos Coed Ywen *LL17: St A 5C* ***38***
(shown as Yew Tree Cl.)
Clos Deganwy LL18: Bode 3E **36**
Clos Derw *LL17: St A 5C* ***38***
(shown as Oak Cl.)
Clos Dinas Bran LL18: Bode 3E **36**
Clos Dinbych LL18: Bode 3E **36**
Clos Dol-y-Coed LL19: Prest 5A **30**
Close, The LL17: St A 5B **38**
LL19: Prest 3E **30**
LL29: Col B 4A **22**
LL30: Pen B 6D **16**
LL33: L'chan 5B **12**
Clos Fforddisa LL19: Prest 3D **30**
Clos Foxhall *LL29: Col B 5A* ***22***
(shown as Foxhall Cl.)
Clos Gladstone LL18: Rhyl 5D **28**
Clos Gwaun Deau
LL19: Prest 3B ***30***
(shown as South Mdw. Cl.)
Clos Hen Felin LL34: Dwy 6J **13**
Clos Meithrin *LL19: Prest 3C* ***30***
(shown as Nursery Cl.)
Clos Morfudd LL18: Rhyl 7F **29**
Clos Pry Copyn LL19: Prest 3B **30**
Clos Teg Fan LL18: Rhyl 7F **29**
Clos Wainwright Cl.
LL28: Rhos S 1J **21**
Clos-y-Berllan LL18: Rhud 4F **33**
(not continuous)
Clos y Nant LL34: Penm 2K **13**
Clwyd Av. LL16: Denb 4J **39**
LL18: Dys .4B **34**
LL18: Rhud 4E **32**
LL18: Rhyl 7B **28**
LL19: Prest 3D **30**
LL22: Aber 5K **25**
Clwyd Bank LL18: Kin B 2J **27**
Clwyd Ct. LL19: Prest 5A **30**
LL28: Rhos S 1G **21**
Clwyd Gdns. LL18: Kin B 2G **27**
Clwyd Pk. LL18: Kin B 4J **27**
Clwyd Retail Pk. LL18: Rhud 2E **32**
Clwyd St. LL18: Rhyl 6B **28**
Coed Av. LL18: Kin B 5K **27**
Coed Bedw LL22: Aber 6J **25**
Coed Celyn LL22: Aber 6J **25**
Coed Coch Rd. LL29: Old C 4D **22**
Coed Eithin LL22: Aber 6J **25**
Coed Gwern LL22: Aber 6J **25**
Coed Helen Rd. *LL54: C'fn 5C* ***4***
(shown as Lon Coed Helen)
Coed Llawryf LL22: Aber 7J **25**
Coed Masarn LL22: Aber 6J **25**
COED MAWR **5B 10**
Coed Mor Dr. LL19: Prest 4D **30**
Coed-Pella Rd. LL29: Col B 3K **21**
Coed Pin LL22: Aber 7J **25**
Coed y Bwlch LL31: D'wy 2H **19**
Coed y Castell LL57: Bang 2G **11**
Coed-y-Glyn LL29: Col B 4H **21**
LL30: L'rhos 7G **15**
Coed y Maes LL57: Bang 5K **9**
Coed y Mor LL30: Pen B 4D **16**
Coed yr Afon LL32: Conwy 7F **19**
Colin Dr. LL18: Rhyl 7F **29**
Coliseum Theatre 6A **28**
College Av. LL28: Rhos S 6H **17**
College Rd. *LL57: Bang 2D* ***10***
(shown as Ffordd y Coleg)
Collen Wen LL61: Llan P 2D **8**
(not continuous)
Colomendy Ind. Est. LL16: Denb 2H **39**
Colvelly Mt. LL29: Col B 3A **22**
Colwyn Av. LL28: Rhos S 6J **17**
COLWYN BAY **3A 22**
COLWYN BAY COMMUNITY HOSPITAL
. . . . .4C **22**
Colwyn Bay Crematorium
LL28: Rhos S 2F **21**
Colwyn Bay Leisure Cen. 4B **22**
Colwyn Bay Station (Rail) **2A 22**
Colwyn Cen., The
LL29: Col B 3A **22**
Colwyn Cres. LL28: Rhos S 6H **17**
Colwyn Pl. LL30: Llan 3B **16**
Colwyn Rd. LL30: Llan 3K **15**
Combermere Rd. LL29: Col B 3J **21**
Compton Way LL22: Aber 6K **25**
Coniston Dr. LL19: Prest 2B **30**
Conolly Cl. LL30: Pen B 5C **16**
Constantine Rd. *LL55: C'fn 5D* ***4***
(shown as Ffordd Cwstenin)
Constantine Ter. *LL55: C'fn 5D* ***4***
(shown as Rhes Gwstenin)
Constitution Hill LL34: Penm 2J **13**
Convent La. *LL57: Bang 3C* ***10***
(shown as Llwybr Cwfaint)
Conway Av. LL18: Rhud 5F **33**
Conway Butterfly Jungle 4F **19**
Conway Castle 6G **19**
Conway Cl.
LL28: Rhos S 7F **17**
Conway Ct. *LL18: Rhud 5E* ***32***
(off Princes Rd.)
Conway Cres. LL30: L'rhos 7G **15**
Conway Gro. LL19: Prest 3C **30**
Conway Old Rd. *LL34: Penm 2K* ***13***
(shown as Hen Ffordd Conwy)

Conway Rd. LL28: Glan C 7A **20**
  LL28: Moch, Col B 2F **21**
  LL29: Col B 2F **21**
  LL30: Llan, L'rhos 3H **15**
  LL31: Moch, Glan C 6B **20**
  LL34: Penm *2K* **13**
  (shown as Ffordd Conwy)
CONWY .5G **19**
Conwy Aquarium *5G* **19**
  (off Castle St.)
Conwy (Caernarvonshire) Golf Course
  . . . . .3E **18**
Conwy Morfa Ent. Pk. LL32: Conwy . .4D **18**
Conwy Rd. LL31: Llan J 5J **19**
  LL32: Conwy 5G **19**
Conwy Station (Rail) 6G **19**
Conwy St. LL18: Rhyl 5C **28**
Copar Bryn LL29: L'faen 5K **23**
Copthorn M. LL28: Col B 4H **21**
Copthorn Rd. LL28: Col B 4H **21**
CORNEL .7B **38**
Coronation Cl. LL18: Bode 3D **36**
Coronation Rd. LL59: Men B 2K **9**
Council St. W. LL30: Llan 4G **15**
Council Ter. *LL18: Rhyl* *7C* **28**
  (off Victoria Pk.)
County Dr. LL18: Rhyl 5D **28**
County Path LL30: Llan 4H **15**
Court St. LL30: Llan 2G **15**
Coventry Dr. LL18: Rhyl 6C **28**
Coventry Gro. LL19: Prest 3A **30**
Cowlyd Cl. LL28: Rhos S 7G **17**
Crafnant Rd. LL28: Rhos S 1F **21**
Craig Dr. LL30: Pen B 4E **16**
Craig Hgts. LL29: Old C 4F **23**
Craig Llwyd *LL16: Denb* *4G* **39**
  (off Beacons Hill)
Craig Melyd LL19: Prest 7C **30**
Craig Menai *LL57: Bang* *2D* **10**
  (off Ffordd Craig y Don)
Craig Rd. LL29: Old C 5F **23**
CRAIGSIDE 3B **16**
Craigside Dr. LL30: Llan 3B **16**
Craig Vw. LL28: Rhos S 1F **21**
Craig Wen LL28: Rhos S 7G **17**
Craig Yd. Ind. Est. LL16: Denb 3G **39**
CRAIG-Y-DON 4K **15**
Craig-y-Don LL22: Pens 3K **25**
Craig y Don Pde. LL30: Llan 3K **15**
Cramer Ct. LL18: Rhyl 7B **28**
Cranford Cres. LL28: Rhos S 5H **17**
Crescent, The LL18: Rhyl 6C **28**
  LL28: Rhos S 5H **17**
  LL57: Bang *2D* **10**
  (shown as Y Cilgant)
Crescent Ct. LL30: Llan 3H **15**
Crescent Rd. LL18: Rhyl 6B **28**
Crest Vw. *LL16: Denb* *4G* **39**
  (off Beacons Hill)
Criafolen *LL22: Belg* *5B* **26**
  (off Towyn Rd.)
Criccieth Cl. LL30: Llan 5H **15**
Crimea Ter. LL34: Penm 2G **13**
Crofton M. LL58: Beau 1J **7**
Crogfryn La. LL30: L'rhos 1J **19**
Cromlech Rd. LL30: Llan 2E **14**
Crossley Gro. LL28: Rhos S 7H **17**
Crossley Rd. LL28: Rhos S 7H **17**
Cross St. LL18: Rhud 5E **32**
Crown La. LL16: Denb 4G **39**
  LL32: Conwy 5G **19**
Crown Sq. LL16: Denb 4G **39**
Crown St. *LL55: C'fn* *3C* **40**
  (shown as Glan Mor Ucha)
Crud-y-Castell LL16: Denb 5J **39**
Crud y Gwynt LL16: Denb 4F **39**
Crud yr Awel LL19: Prest 4A **30**
Crud yr Awol LL16: Denb 3J **39**

Crugan Av. LL18: Kin B 2H **27**
Cuffnell Cl. LL30: Llan 5J **15**
Curzon Pas. LL30: Llan 4J **15**
Curzon Rd. LL30: Llan 4J **15**
CWLACH .2F **15**
Cwlach Rd. LL30: Llan 2F **15**
Cwlach St. LL30: Llan 2F **15**
CWM 7D **34**
Cwm Arthur LL16: Denb 5K **39**
Cwm Eithin LL16: Denb 3J **39**
Cwm Estyn LL31: D'wy 3J **19**
CWM HOWARD 5J **15**
Cwm Howard La. LL30: Llan 6H **15**
Cwm Isaf *LL30: Llan* 5H **15**
  (off Parc Bodnant)
Cwm Llewenni LL16: Denb 5K **39**
Cwmlws La. LL34: Penm 2G **13**
Cwm Pl. LL30: Llan 5H **15**
Cwm Rd. LL18: Dys, Cwm D 4B **34**
  LL30: Llan 4G **15**
  LL34: Penm 2J **13**
Cwm Silyn LL55: C'fn 6E **4**
Cwm Teg LL29: Old C 5D **22**
Cwrt Ashly *LL17: St A* *6B* **38**
  (shown as Ashly Ct.)
Cwrt Berllan LL19: Prest 5A **30**
Cwrt Bryn-y-Bia LL30: Llan 4C **16**
Cwrt Cae Mor LL22: Towy 4E **26**
Cwrt Dowell LL19: Prest 3C **30**
Cwrt Dyffryn LL29: Old C 6D **22**
Cwrt Gele LL22: Belg 5B **26**
Cwrt Hwfa LL57: Bang 2C **10**
Cwrt Idris LL22: Aber 5K **25**
Cwrt Llewelyn LL32: Conwy 4E **18**
Cwrt M W Hughes LL30: Llan 5J **15**
Cwrt Ogwen *LL28: Rhos S* *6J* **17**
  (off Colwyn Av.)
Cwrt Pafiliwn *LL55: C'fn* *4D* **4**
  (off Stryd Bangor)
Cwrt Tudor LL18: Kin B 4J **27**
Cwrt y Coleg LL28: Rhos S 1J **21**
Cwrt-y-Dderwen LL29: Col B 3K **21**
Cwrt Y Ddol *LL22: Towy* *5F* **27**
  (shown as Meadow Ct.)
Cwttir La. LL17: St A 6K **37**
Cwybr Fawr LL18: Rhud 3E **32**
Cwymp Rd. LL22: L'las 6B **24**
CYFFORDD LLANDUDNO 5K **19**
Cyffordd Llandudno Ind. Est.
  LL31: Llan J 5B **20**
Cylch Tudor LL30: Llan 4H **15**
Cyll Ter. LL30: Llan 2E **14**
Cynfran Rd. LL29: L'faen 5K **23**
Cynlas LL18: Kin B 4H **27**
Cypress Gro. LL18: Rhyl 5E **28**
Cysgodfa LL16: Denb 4H **39**
Cysgod-y-Graig LL16: Denb 4G **39**
Cystennin Rd. LL31: L'nin 3E **20**

D

Dakla Dr. LL30: Pen B 5E **16**
Dalar Wen LL16: Denb 3J **39**
Dale, The LL22: Aber 6H **25**
Dale Rd. LL30: Llan 4E **14**
Daniel Dr. LL18: Rhyl 1F **33**
Daresbury Cl. LL30: Llan 5J **15**
David Cl. LL19: Prest 4C **30**
David Edwards Cl. LL29: Old C 4D **22**
Davids La. LL34: Penm 2J **13**
David St. LL34: Penm 2J **13**
Davies' Pas. *LL30: Llan* *4G* **15**
  (off Norman Rd.)
Davies Way *LL30: Llan* *4G* **15**
  (off Norman Rd.)
Dawson Cl. LL19: Prest 4C **30**
Dawson Ct. LL19: Prest 4C **30**

Dawson Cres. LL19: Prest 4C **30**
Dawson Dr. LL19: Prest 3C **30**
Ddol Ddu LL29: Old C 6D **22**
Ddol Ddu Isaf LL29: Old C 5D **22**
Ddol Hyfryd LL19: Gron 2J **31**
  LL57: Bang 6K **9**
Dean's Wlk. LL17: St A 6B **38**
DEGANWY 2F **19**
Deganwy Av. LL30: Llan 3F **15**
Deganwy Beach LL31: D'wy 1F **19**
Deganwy Quay LL31: D'wy 3G **19**
Deganwy Rd. LL30: L'rhos 7F **15**
  LL31: D'wy 1F **19**
Deganwy Station (Rail) 2F **19**
Deiniol Rd. *LL57: Bang* *3D* **10**
  (shown as Ffordd Deiniol)
Dell, The LL19: Prest 4C **30**
DENBIGH .4G **39**
Denbigh Castle 5G **39**
Denbigh Circ. LL18: Kin B 4J **27**
DENBIGH COMMUNITY HOSPITAL . . .4H **39**
Denbigh Leisure Cen. 4J **39**
Denbigh Mus. & Art Gallery 4G **39**
Deniol Cen. LL57: Bang 2E **10**
Denmore Av. LL18: Rhyl 4E **28**
Denness Pl. LL30: Llan 4F **15**
Derby Ter. LL22: Aber 5J **25**
Deric Cl. LL19: Prest 3J **29**
Derrie Av. LL22: Aber 5H **25**
Derwen Av. LL28: Rhos S 1F **21**
Derwen Dr. LL18: Rhyl 2E **32**
Derwen La. LL30: Pen B 5C **16**
Derwen Las LL55: C'fn 6E **4**
Derwen Pk. LL30: Pen B 5D **16**
Derwen Rd. LL34: Penm 2G **13**
Derwent Cl. LL19: Prest 2B **30**
Derwen Y Brenin *LL29: Col B* *3H* **21**
  (shown as Kings Oak)
Deva Cl. LL28: Rhos S 7G **17**
Deva Cres. LL18: Rhyl 5D **28**
Dew St. LL59: Men B 2K **9**
Diane Dr. LL18: Rhyl 1D **32**
Digby Rd. LL28: Rhos S 7H **17**
Dinas Av. LL18: Kin B 2G **27**
Dinas Rd. LL30: Llan 4F **15**
DINBYCH .4G **39**
Dinerth Av. LL28: Rhos S 6F **17**
Dinerth Cl. LL28: Rhos S 6F **17**
Dinerth Cres. LL28: Rhos S 6F **17**
Dinerth Hall Rd. LL28: Rhos S 6F **17**
Dinerth Pk. LL28: Rhos S 6G **17**
Dinerth Rd. LL28: Rhos S 7F **17**
DINGLE, THE 3A **22**
Dingle, The LL29: Col B 3A **22**
Dingle Hill LL29: Col B 4A **22**
Dingle Vw. LL29: Col B 5A **22**
Dinosaur World 3B **22**
Dobinson's La. LL30: Llan 4H **15**
Doctor Garretts Dr. LL32: Conwy 4E **18**
Dodgson Cl. LL30: Llan 5J **15**
Dol Acar LL22: Rhyd 7C **24**
Dol Dderw LL31: Llan J 5A **20**
Dol Eithin LL30: Pen B 4E **16**
Dol Elian LL29: Old C 5D **22**
Dol Goed LL31: Llan J 4K **19**
Dol-Helyg LL57: T'bont 6J **11**
Dol Hudol LL31: Llan J 3J **19**
Dolphin Ct. LL28: Rhos S 1G **21**
Dolwen Cl. LL29: L'faen 7J **23**
Dolwen Rd. LL29: L'faen 7H **23**
  LL29: Old C 6E **22**
DOLWYD .5D **20**
Dol Wynne LL22: L'las 4A **24**
Dolydd LL30: Llan 4F **15**
Donald Av. LL18: Rhyl 1D **32**
Dorchester Cl. LL18: Rhyl 2E **32**
Doren Av. LL18: Rhyl 7F **29**
Douglas Rd. LL29: Col B 3A **22**

Drake Cl. LL30: Pen B 4E **16**
Drummond Pas. LL30: Llan 3G **15**
Duchess Cl. LL30: Llan 5J **15**
Dulas Av. LL18: Kin B 3H **27**
Dulas Cl. LL28: Rhos S 7G **17**
Dulas Pk. LL18: Kin B 3H **27**
Dundonald Av. LL22: Aber 5K **25**
Dundonald Rd. LL29: Col B 4A **22**
Durham Dr. LL19: Prest 4B **30**
Durleston Dr. LL19: Prest 4A **30**
Durrant Cl. LL18: Rhyl 1E **32**
Dwyfor Ct. LL19: Prest 5A **30**
DWYGYFYLCHI 6H **13**
Dwyrain Twthill LL55: C'fn 4D **4** (3E **40**)
Dyffryn Rd. LL30: Llan 4F **15**
Dyffryn Teg LL17: St A 6D **38**
DYSERTH 3B **34**
Dyserth Castle (site of) 2C 34
Dyserth Hall M. *LL18: Dys 2A **34***
(off Long Acres Rd.)
Dyserth Rd. LL18: Rhud 6F **33**
LL18: Rhyl, Dys 6E **28**

E

Eagles Farm Rd. LL28: Moch 4E **20**
Earlswood Av. LL19: Prest 3J **29**
East Av. LL19: Prest 3E **30**
East Cl. LL19: Prest 3H **29**
Eastgate St. *LL55: C'fn 4C **40***
(shown as Stryd y Porth Mawr)
East Pde. LL18: Rhyl 5B **28**
LL30: Llan 3J **15**
Eastville Av. LL18: Rhyl 4E **28**
Eaton Av. LL18: Rhyl 4E **28**
LL29: Old C 4C **22**
Ebberston Rd. E. LL28: Rhos S 1H **21**
Ebberston Rd. W. LL28: Rhos S 1H **21**
Ebenezer Pl. *LL57: Bang 2E **10***
(off Caellepa)
Eden Av. LL19: Prest 3D **30**
Edgars Ter. *LL16: Denb 4G **39***
(off Barker's Well)
Edgbaston Rd. LL18: Rhyl 4F **29**
Edge Hill LL30: P'side 4C **16**
Edmund St. *LL57: Bang 1F **11***
(shown as Stryd Edmund)
Edward Henry St. LL18: Rhyl 6A **28**
Edwards Leisure Pk. 3D 26
Edwards St. LL30: Llan 3G **15**
Edward St. LL34: Penm 2H **13**
*LL55: C'fn 4D **4***
(shown as Heol Edward)
Egerton Rd. LL29: Col B 2J **21**
Eiras Vw. LL29: Col B 5A **22**
Eirian Av. LL18: Kin B 3J **27**
Eirias Rd. LL29: Col B 4B **22**
Eirias Ter. LL29: Old C 3F **23**
Elan Rd. LL30: Llan 5H **15**
Eldon Dr. LL22: Aber 5H **25**
Eldon Ter. *LL57: Bang 2D **10***
(off Allt Glanrafon)
Eleanor Rd. LL29: Old C 3D **22**
Eleanor St. *LL55: C'fn 4D **4***
(shown as Heol Elinor)
Eleri Cl. LL18: Rhyl 1D **32**
Elfod LL22: Aber 4K **25**
Elian Rd. LL29: Col B 4B **22**
Elizabeth Vs. LL30: Llan 5F **15**
Ellesmere Rd. LL29: Col B 2K **21**
Ellis Av. LL18: Rhyl 7A **28**
LL29: Old C 4G **23**
Ellis Way LL32: Conwy 3E **18**
Elm Gro. LL18: Rhyl 5D **28**
Elmsway Dr. LL19: Prest 4D **30**
Elst Dfod Ter. LL30: Llan 2E **14**
Elwy Av. LL18: Dys 5B **34**
Elwy Circ. LL18: Kin B 3J **27**
Elwy Cres. LL17: St A 6B **38**
Elwy Dr. LL18: Rhyl 6C **28**
Elwy Gdns. LL30: Llan 5J **15**
Elwy Pl. *LL17: St A 6C **38***
(off Luke St.)
Elwy Rd. LL28: Rhos S 6H **17**
Elwy St. LL18: Rhyl 6B **28**
Elwy Ter. *LL17: St A 6C **38***
(off Luke St.)
Elwy Vw. *LL17: St A 6C **38***
(off Mill St.)
Emery Down LL30: Llan 5J **15**
Emlyn Gro. LL18: Rhyl 6A **28**
Endsleigh Rd. LL29: Old C 4E **22**
Engine Hill LL18: Bode 4E **36**
England Rd. Nth. *LL55: C'fn 3E **4***
(shown as Lon Ysgubor Wen)
England Rd. Sth. *LL55: C'fn 3D **4***
(shown as Y Clogwyn)
Epworth Rd. LL18: Rhyl 2E **32**
Erasmus St. LL34: Penm 2J **13**
Erddig Cl. LL30: Llan 6H **15**
Ernestine Vs. LL30: Llan 5F **15**
Ernest St. LL18: Rhyl 6C **28**
Erskine Rd. LL29: Col B 3A **22**
Erskine Ter. LL32: Conwy 5G **19**
Erw Fair LL34: Penm 2K **13**
Erw Goch LL22: Aber 6K **25**
Erw Lan LL17: St A 5B **38**
Erw Las LL18: Rhyl 7F **29**
Erw Salusbury LL16: Denb 4J **39**
Erw Wen LL18: Trel 2H **35**
LL22: L'las 4A **24**
LL55: Caet 6G **5**
Erw-Wen Rd. LL29: Col B 3A **22**
Eryl Pl. LL30: Llan 4F **15**
ERYRI HOSPITAL *6E 4*
(shown as YSBYTY ERYRI)
ESGYRYN 3A **20**
Esgyryn Rd. LL31: Pabo 3A **20**
Esplanade LL34: Penm 2H **13**
Eton Pk. LL18: Rhud 5E **32**
Euston Rd. *LL57: Bang 3C **10***
(shown as Ffordd Euston)
Everard Rd. LL28: Rhos S 7J **17**
Eversley Cl. LL18: Rhyl 1F **33**
Ewloe Dr. LL30: Llan 6H **15**
Exeter Cl. LL19: Prest 3A **30**
Expressway Bus. Pk.
LL22: Bode 3C **36**

F

Factory Pl. LL16: Denb 4G **39**
Faenol Av. LL22: Aber 5K **25**
Fairfield Av. LL18: Rhyl 5C **28**
Fairfield Cl. LL30: Pen B 5D **16**
Fairlands Cres. LL18: Rhud 5F **33**
Fair Mt. LL29: Old C 4D **22**
Fairview LL59: Men B 2K **9**
Fairview Av. LL19: Prest 4C **30**
Fairview Cres. LL19: Prest 4C **30**
Fair Vw. Rd. *LL57: Bang 1F **11***
(shown as Ffordd Trem Deg)
Fairway LL28: Rhos S 6H **17**
Fairways LL30: Llan 5F **15**
Fairy Glen LL29: Old C 4D **22**
Fairy Glen Rd. LL34: Penm 7K **13**
Farrar Rd. *LL57: Bang 3D **10***
(shown as Ffordd Farrar)
Farrington Ct. LL30: Pen B 5C **16**
Fawr LL57: Bang 2F **11**
Feol Vw. Rd. LL18: Rhyl 7E **28**
Ferguson Av. LL19: Prest 2K **29**
Fern Av. LL19: Prest 3D **30**
Fernbrook Rd. LL34: Penm 2J **13**
Fern Cl. LL18: Rhyl 5F **29**
Ferndale Rd. LL31: Llan J 4J **19**
Fern Wlk. LL18: Rhyl 5F **29**
Fern Way LL18: Rhyl 5E **28**
Ferry Farm Rd. LL31: Llan J 5H **19**
Fferm Bach Rd. LL30: Llan 5K **15**
Fferm La. LL30: Llan 5J **15**
Ffordd Aber LL18: Rhud 4E **32**
Ffordd Abergele
*LL29: Col B, Old C 3K **21***
(shown as Abergele Rd.)
Ffordd Ainon LL57: Bang 4C **10**
Ffordd Aled LL16: Denb 3J **39**
Ffordd Angharad LL61: Llan P 3D **8**
Ffordd Anwyl LL18: Rhyl 6E **28**
Ffordd Ashley LL57: Bang 2E **10**
Ffordd Bangor LL32: Conwy 4A **18**
LL33: L'chan 3C **12**
LL34: Penm, Dwy 2G **13**
LL55: C'fn 2E **4**
Ffordd Beaumaris LL58: Beau 5E **6**
LL59: L'fan 1A **10**
Ffordd Belmont LL57: Bang 3A **10**
Ffordd Bethel LL55: C'fn 3E **4**
Ffordd Bodnant *LL28: Rhos S 1F **21***
(shown as Bodnant Rd.)
Ffordd Bont Saint LL55: C'fn 7D **4**
Ffordd Brighton *LL18: Rhyl 6B **28***
(shown as Brighton Rd., not continuous)
Ffordd Bronwydd LL57: Bang 6H **9**
Ffordd Bryniau LL19: Prest 7C **30**
Ffordd Bryn Melyd LL19: Prest 6C **30**
Ffordd Brynsiencyn LL61: Llan P 7A **8**
Ffordd Bugail LL29: Col B 5B **22**
Ffordd Burton LL18: Rhyl 7F **29**
Ffordd Bwclae LL57: Bang 1D **10**
Ffordd Cadnant LL59: Men B 2K **9**
Ffordd Cae Fellin LL19: Prest 5A **30**
Ffordd Cae Garw LL55: C'fn 4G **5**
Ffordd Cae Glas LL18: Rhud 4F **33**
Ffordd Caegybii LL57: Bang 3D **10**
Ffordd Caergybi LL57: Bang 4K **9**
LL59: Men B 4E **8**
LL60: Llan P, Star 3A **8**
LL61: Llan P 4E **8**
Ffordd Caergybl LL61: Llan P 3A **8**
Ffordd Caernarfon LL57: Bang 7A **10**
Ffordd Caledfryn LL16: Denb 3J **39**
Ffordd Cambria LL59: Men B 3K **9**
Ffordd Cefndy *LL18: Rhyl 1B **32***
(shown as Cefndy Rd.)
Ffordd Ceiriog LL57: Bang 2E **10**
Ffordd Celyn LL16: Denb 2J **39**
LL29: Col B 5B **22**
Ffordd Cibyn LL55: C'fn 4F **5**
Ffordd Coed Helen LL54: C'fn 4C **4**
Ffordd Coed Marion LL55: C'fn 4F **5**
Ffordd Coed Mawr LL57: Bang 5B **10**
Ffordd Colomendy LL16: Denb 2J **39**
Ffordd Conwy LL34: Penm 2K **13**
Ffordd Coppy LL16: Denb 4F **39**
Ffordd Craiglun LL18: Kin B 4K **27**
Ffordd Craig y Don LL57: Bang 2D **10**
Ffordd Crwys LL57: Bang 7J **9**
Ffordd Cwellyn LL55: C'fn 3E **4**
Ffordd Cwm LL34: Penm 2J **13**
Ffordd Cwstenin LL28: Moch 3F **21**
LL55: C'fn 5D **4**
Ffordd Cynan LL57: Bang 6J **9**
LL59: Men B 2K **9**
Ffordd Cynfal LL57: Bang 3C **10**
Ffordd Dawel LL29: Col B 5B **22**
Ffordd Deiniol LL57: Bang 3D **10**
Ffordd Denman LL57: Bang 4C **10**
Ffordd Derwen LL18: Rhyl 1C **32**
Ffordd Dewi LL18: Rhud 5F **33**
LL30: Llan 4H **15**
Ffordd Dinas LL33: L'chan 6C **12**

First Av. LL19: Prest 1B 30
LL28: Rhos S 6G 17
Foel Pk. LL18: Dys 4B 34
Foel Rd. LL18: Dys 3C 34
Foreshore Pk. LL28: Rhos S 5H 17
Foryd Rd. LL18: Kin B 2G 27
Fountain St. LL57: Bang 1F 11
(shown as Stryd y Pistyll)
Four Crosses LL57: Bang 6H 9
Foxhall Cl. LL29: Col B 5A 22
Frances Av. LL18: Rhyl 1D 32
Francis Av. LL28: Rhos S 1H 21
Franklyn Av. LL19: Prest 4H 29
Frank Vs. LL30: Llan 5F 15
Frederick St. LL18: Rhyl 7A 28
Friar's Rd. LL57: Bang 2F 11
(shown as Lon Y Brodyr)
FRON 3J 39
Fron Cres. LL33: L'chan 6C 12
Fron Deg LL59: L'fan 6B 6
Frondeg LL61: Llan P 2E 8
Fron Deg Rd. LL30: P'side 5C 16
Fron Dirion LL57: Bang 2D 10
(off Allt Glanrafon)
Fron Haul LL17: St A 6D 38
Fron Heulog LL59: Men B 1H 9
Fron Heulog Ter. LL57: Bang 2D 10
(off Allt Glanrafon)
Fron Pk. Av. LL33: L'chan 5B 12
Fron Rd. LL29: Old C 4C 22
Fron Ter. LL29: Old C 4D 22
(off Cadwgan Av.)
Fron Uchaf LL29: Col B 5J 21
Fun Centre, The 2D 40

G

Gadlas Rd. LL29: L'faen 6K 23
Gadlys La. LL58: Beau 2J 7
(off Castle St.)
Gaingc Rd. LL22: Towy 4D 26
Galeri 3C 4 (2C 40)
GALLT MELYD 7C 30
Gallt y Sil LL55: C'fn 5E 4
Gamar Rd. LL29: L'faen 5K 23
Gamlin St. LL18: Rhyl 6B 28
Gannock Pk. LL31: D'wy 2F 19
Gannock Pk. W. LL31: D'wy 1F 19
Gannock Rd. LL31: D'wy 2F 19
Gaol St. LL58: Beau 1J 7
Garage St. LL30: Llan 4H 15
Gardd Denman LL57: Bang 4C 10
Gardd Eryri LL34: Dwy 5J 13
Gardd-y-Escob LL57: Bang 2E 10
(off Rhodfa'r Esgob)
Gardd Y Mor LL31: D'wy 1F 19
(shown as Marine Gdns.)
Garden Dr. LL30: Pen B 5E 16
Garden St. LL30: Llan 3G 15
Gareth Cl. LL18: Rhyl 7D 28
Garfield Ter. LL16: Denb 4H 39
(off Llys y Gamogs)
LL18: Rhyl 6B 28
(off Bedford St.)
Garford Rd. LL18: Rhyl 4E 28
Garnett Av. LL18: Rhyl 7A 28
Garnett Dr. LL19: Prest 4H 29
Garnon St. LL55: C'fn 6E 40
(shown as Stryd Garnon)
GARTH 1E 10
Garth Clarendon LL18: Kin B 4J 27
Garth Ct. LL30: Llan 2F 15
(off Llewelyn Av.)
Garth Gopa LL22: L'las 4B 24
Garth Hill LL57: Bang 1E 10
(shown as Allt y Gth.)
Garth Morfa LL18: Kin B 4J 27
Garth Rd. LL29: Old C 4B 22
LL57: Bang 2E 10
(shown as Ffordd Gth.)
Garth Rd. Nth. LL28: Moch 3F 21
Garth Rd. Sth. LL28: Moch 3F 21
Garthwen LL33: L'chan 4B 12
Garwyn Av. LL19: Prest 6B 30
GASCOED 6E 36
Gas Works La. LL19: Prest 3C 30
Gele Av. LL22: Aber 6K 25
Gelert St. LL55: C'fn 5D 4
(shown as Heol Gelert)
Gelli For LL18: Rhyl 7F 29
Gemig St. LL17: St A 6C 38
George St. LL30: Llan 3G 15
Gerddi Abaty LL57: Bang 3D 10
(off Abbey Rd.)
Gerddi Gledhill LL30: Llan 6H 15
Gerddi Hafod Lon LL59: L'fan 6C 6
Gerddi Mair LL16: Denb 3J 39
Gerddi Menai LL55: C'fn 2D 4
Gerddi Penlon LL57: Bang 2F 11
Gerddir Ddol LL22: Towy 5F 27
Gerddi'r Ddol LL30: Llan 5K 15
(shown as Meadow Gdns.)
Gerddi'r Morfa LL32: Conwy 4E 18
Gerddi Stanley LL58: Beau 1J 7
GERIZIM 3C 12
Gernant LL57: Bang 4C 10
Ger-y-Glyn LL34: Dwy 7K 13
Ger-y-Mor LL22: Pens 3K 25
Ger y Mynydd LL57: Bang 2E 10
Geufron LL18: Rhyl 6C 28
Geulan Rd. LL29: L'faen 6H 23
Gilfach LL31: Llan J 4K 19
Gilfach Goch LL59: Men B 1J 9
Gilfach Rd. LL31: B Pyd 2C 20
LL34: Penm 3J 13
Gilfach Wen LL59: Men B 1J 9
Gillian Cl. LL18: Rhyl 1E 32
Gillian Dr. LL18: Rhyl 1E 32
Gipsy La. LL18: Kin B, Rhud 4A 32
Gladys Gro. LL29: Col B 3A 22
Glanaber Trad. Est. LL18: Rhyl 6D 28
GLANADDA 4C 10
Glanafon Ter. LL32: Conwy 7F 19
Glan Cadnant LL55: C'fn 4E 4
Glan Conwy Nature Reserve 6K 19
Glan Dwr LL22: Belg 5A 26
Glandwr LL19: Prest 3A 30
Glandwr Cres. LL18: Kin B 3H 27
Glandwr Rd. LL57: Bang 7F 7
(off Fordd Garth)
Glandwr Ter. LL57: Bang 7F 7
(off Green Bank)
Glan Ffyddion LL18: Dys 2A 34
Glanglasfor LL18: Rhyl 6B 28
Glan Llyn LL61: Llan P 3C 8
Glan Menai LL57: Bang 6H 9
Glan Mor LL19: Prest 2C 30
LL55: C'fn 4C 4 (3C 40)
Glan Morfa LL22: Towy 4F 27
Glan Morfa Cvn. Pk. LL31: Llan J 5K 19
Glanmorfa Ind. Est. LL18: Rhyl 1A 32
Glanmor Rd. LL33: L'chan 4B 12
Glan Mor Ucha LL55: C'fn 4C 4 (3C 40)
Glan Peris LL55: C'fn 4F 5
Glanrafon LL22: Aber 6K 25
LL57: Bang 2D 10
Glanrafon Av. LL30: Llan 3B 16
Glanrafon Hill LL57: Bang 2D 10
(shown as Allt Glanrafon)
Glanrafon Ter. LL17: St A 6C 38
(off Lower St.)
Glan Rd. LL28: Moch 3F 21
Glan Seiont LL55: C'fn 6E 4
Glan Traeth LL19: Prest 2C 30
LL57: Bang 2G 11
GLANWYDDEN 7D 16
Glan y Coed Pk. LL34: Dwy 6J 13
Glanyfelin LL59: L'fan 6B 6
(off Caerfelin Gwel Eryri)
Glan-y-Gors LL19: Prest 3B 30
Glan-y-Mor LL22: Aber 4J 25
LL55: C'fn 3C 4 (3B 40)
Glan y Mor Pde. LL30: Llan 2G 15
Glan y Mor Pas. LL30: Llan 3G 15
(off Glan y Mor Pde.)
Glan-y-Mor Rd. LL28: Rhos S 4D 16
LL29: Old C 3F 23
LL30: Pen B 4D 16
LL31: D'wy, Llan J 3G 19
Glan-yr-Afon Rd. LL33: L'chan 5E 12
LL34: Dwy 6J 13
Glan-y-Wern LL28: Moch 2F 21
Glas Coed LL29: Old C 5G 23
Glascoed LL31: Llan J 3K 19
Glascoed Av. LL18: Kin B 2G 27
Glascoed Rd. LL17: St A 7E 36
LL18: Glas 7E 36
LL22: Glas 7E 36
Glasfryn Av. LL19: Prest 6C 30
Glasmdw La. LL16: Denb 5F 39
Glendower Ct. LL18: Rhyl 5C 28
(off Kinard Dr.)
Glenfor LL22: Aber 6J 25
Glen Vw. LL22: Rhyd 7C 24
Gloddaeth Av. LL30: Llan 4E 14
Gloddaeth Cres. LL30: Llan 3H 15
Gloddaeth La.
LL30: L'rhos, Llan, P'side 7J 15
(not continuous)
Gloddaeth St. LL30: Llan 3F 15
Gloddaeth Vw. LL30: Pen B 5C 16
Glyn Av. LL18: Rhud 4F 33
LL18: Rhyl 7E 28
LL19: Prest 3D 30
LL22: Aber 5J 25
LL29: Col B 5B 22
Glyn Circ. LL18: Kin B 3J 27
Glyndwr Rd. LL29: L'faen 5K 23
Glyn Gth. Ct. LL59: L'fan 6C 6
Glyn Gth. M. LL59: L'fan 6C 6
Glyn Isaf LL31: Llan J 4K 19
Glynne Rd. LL57: Bang 1E 10
(shown as Ffordd Glynne)
Glyn Path LL34: Penm 7K 13
Glyn Ter. LL34: Dwy 7K 13
Glyn-y-Marl Gdns. LL31: Llan J 4K 19
Glyn-y-Marl Rd. LL31: Llan J 5K 19
Goedlodd La. LL31: B Pyd 2B 20
GOGARTH 2C 14
Gogarth Av. LL34: Dwy 6H 13
Gogarth La. LL30: Llan 3E 14
Gogarth Rd. LL30: Llan 3E 14
Golden Gro. LL18: Rhyl 1D 32
Golden Va. Trad. Est. LL18: Rhyl 7D 28
Goleufryn LL57: Bang 6K 9
Golygfa Sychnant LL34: Dwy 6J 13
Gomer Ct. LL22: Aber 5J 25
(off Heol Gomer)
Gorad Rd. LL57: Bang 1C 10
(shown as Ffordd Gorad)
Gordon Av. LL18: Rhyl 6A 28
LL19: Prest 5C 30
LL28: Rhos S 6H 17
Gorgarth Morfa LL30: Llan 3D 14
Gorlan LL32: Conwy 6E 18
Gorllewin Twthill LL55: C'fn 4D 4 (3E 40)
Goronwy Gdns. LL30: Pen B 5E 16
Gorphwysfa Av. LL19: Prest 2C 30
Gorsefield Rd. LL32: Conwy 4E 18
Gors Goch LL59: Men B 1J 9
Gors Las LL59: Men B 2J 9
Gors Rd. LL22: St. G, Towy 4F 27
(not continuous)

Lon Bryn Gosol LL30: L'rhos 1G 19
Lon Brynli LL19: Prest 4A 30
Lon Bryn Teg LL59: L'fan 6C 6
Lon Bulkeley LL59: Men B 1H 9
Lon Cadfan LL19: Prest 5A 30
Lon Cae Darbi LL55: C'fn 4G 5
Lon Cae Ffynnon LL55: C'fn 4F 5
Lon Caeru LL16: Denb 3J 39
Lon Cae Sel LL55: C'fn 4D 4
Lon Cambell LL55: C'fn 2D 4
Lon Caradog LL22: Aber 6H 25
Lon Cariadon LL57: Bang 2E 10
   LL59: Men B 3K 9
Lon Cefn LL16: Denb 4G 39
   (shown as Back Row)
Lon Cefn Du LL55: C'fn 5E 4
Lon Cei Bont LL59: Men B 3K 9
Lon Ceiriog LL16: Denb 4J 39
   LL19: Prest 5A 30
Lon Ceirios LL22: Aber 7H 25
Lon Celynnen LL18: Rhyl 6F 29
Loncerys LL16: Denb 2J 39
Lon Cilgwyn LL55: C'fn 6E 4
Lon Coed Helen LL54: C'fn 5C 4
Lon Copner LL16: Denb 4H 39
Lon Crwyn LL55: C'fn 5C 40
Lon Cwybr LL18: Rhud 4E 32
Lon Cymru LL30: Llan 5H 15
Lon Cynan LL19: Prest 4A 30
   LL22: Aber 6H 25
Lon Cytir LL57: Bang 7K 9
Lon Dawel LL22: Aber 7J 25
Lon Dderwen LL22: Aber 7H 25
Lon Ddewi LL55: C'fn 3D 4 (1E 40)
Lon Ddwr LL57: T'bont 5J 11
Lon Deg LL22: Aber 7J 25
Lon Delyn LL19: Prest 2D 30
Lon Derw LL17: St A 5C 38
   (shown as Oak La.)
   LL22: Aber 7J 25
Lon Derwen LL16: Denb 5K 39
Lon Dinorben LL22: Aber 6J 25
Lon Dirion LL22: Aber 7J 25
London Rd. LL18: Trel 2G 35
Lon Drych LL61: Llan P 3E 8
Lon Dyfi LL19: Prest 3K 29
Lon Dyfnia LL61: Llan P 2E 8
Lon Eglyn LL18: Rhyl 5F 29
Lon Eilian LL55: C'fn 5E 4
Lon Eirin LL22: Towy 5F 27
Lon Eirlys LL19: Prest 2D 30
Lon Elan LL19: Prest 6B 30
Lon Eryri LL57: Bang 4B 10
Lon Evelyn LL57: Bang 2D 10
Lon Fach LL30: Llan 4G 15
   (off Norman Rd.)
Lon Fammau LL16: Denb 2J 39
Lon Ffawydd LL22: Aber 6J 25
Lon Foel Graig LL61: Llan P 3E 8
Lon Frondeg LL57: Bang 2E 10
Lon Fydyr LL16: Denb 4G 39
   (off Back Row)
Long Acres Rd. LL18: Dys 3K 33
   LL19: Dys 3K 33
Lon Gadlas LL22: Aber 6J 25
Lon Ganol LL16: Denb 4G 39
   (shown as Middle La.)
   LL59: L'fan 7A 6
   LL59: Men B 1H 9
Lon Garnedd LL22: Aber 6J 25
Lon Gernant LL59: Men B 2J 9
Lon Glandwr LL57: Bang 7F 7
   (off Ffordd Gth.)
Lon Glanfor LL22: Belg 5A 26
Lon Glan Mor LL57: Bang 1F 11
Longleat Av. LL30: Llan 3B 16
Lon Glyd LL22: Belg 5B 26
Lon Glyn LL16: Denb 2J 39

Lon Glyndwr LL22: Aber 6H 25
Lon Goed LL22: Aber 7J 25
   LL31: Llan J 4J 19
Lon Graig LL61: Llan P 3E 8
Lon Gwalia LL30: Llan 5J 15
Lon Gwyndaf LL19: Prest 4A 30
Lon Hafan LL22: Aber 7J 25
Lon Hafren LL18: Rhyl 6F 29
Lon Hedydd LL61: Llan P 3E 8
Lon Hedyn LL18: Rhyl 5F 29
Lon Helen LL55: C'fn 5E 4
Lon Helyg LL22: Aber 7H 25
Lon Hen Felin LL55: C'fn 4G 5
Lon Heulog LL18: Kin B 4H 27
   LL22: Aber 7J 25
Lon Howell LL16: Denb 5K 39
Lon Hyfryd LL22: Aber 7J 25
Lon Isaf LL59: Men B 1J 9
Lon Islwyn LL19: Prest 4A 30
Lon Kinmel LL22: Pens 3K 25
Lon Las LL59: Men B 2K 9
Lon Las Menai LL55: C'fn 2D 4
Lon Lelog LL18: Rhyl 5F 29
Lon Llewelyn LL16: Denb 5F 39
   LL22: Aber 6H 25
Lon Mafon LL18: Rhyl 5F 29
Lon Marion LL55: C'fn 5G 5
Lon Meirion LL57: Bang 1E 10
Lon Melin Esgob LL57: Bang 3E 10
Lon Menai LL59: Men B 1H 9
Lon Mieri LL57: Bang 4B 10
Lon Mynach LL30: Pen B 4D 16
Lon Nant LL16: Denb 5K 39
   LL55: C'fn 4E 4
Lon Ogwen LL57: Bang 4B 10
Lon Oleuwen LL55: C'fn 6E 4
Lon Olwen LL18: Kin B 3H 27
Lon Padog LL32: Conwy 4E 18
Lon Pant LL59: Men B 2F 9
   LL61: Llan P 3F 9
Lon Parc LL16: Denb 4G 39
   (shown as Park St.)
   LL55: C'fn 5D 4 (7E 40)
Lon Pendref LL16: Denb 5G 39
   (shown as Love La.)
Lon Pendyffryn LL22: L'las 4A 24
Lon Pen Nebo LL59: Men B 2J 9
Lon Penrallt LL57: Bang 2D 10
Lon Penrhiw LL22: L'las 4A 24
Lon Pobty LL57: Bang 4E 10
Lon Powys LL57: Bang 4B 10
Lon Priestley LL57: Bang 3E 4
Lon Pwllfanogl LL61: Llan P 4D 8
Lon Refail LL61: Llan P 2E 8
Lon Rhosyn LL18: Rhyl 5F 29
Lon Seiriol LL57: Bang 1E 10
Lon Sowter LL16: Denb 4G 39
   (shown as Bridge St.)
Lon Swan LL16: Denb 4G 39
   (shown as Chapel St.)
Lon Sydney LL55: C'fn 3D 4
Lon Tabernacl LL57: Bang 2E 10
Lon Taliesin LL19: Prest 4A 30
Lon Temple LL57: Bang 2D 10
Lon Tilsli LL19: Prest 5A 30
Lon Totton LL57: Bang 1E 10
Lon Troon LL29: Col B 4J 21
   (shown as Troon Way)
Lon ty Bach LL33: L'chan 7A 12
Lon ty Croes LL61: Llan P 3D 8
Lon Tyddyn LL57: Bang 3F 11
Lon ty Gwyn LL55: C'fn 5E 4
Lon ty Mawr LL57: L'fan 6B 6
Lon ty Newydd LL55: C'fn 4G 5
   LL59: L'fan 7A 6
Lon Ty'n y Caeau LL59: Men B 2H 9
Lon Tywysog LL16: Denb 4K 39
Lon Vardre LL31: D'wy 2G 19

Lon Warfield LL55: C'fn 3D 4
Lon Wen LL18: Rhyl 5F 29
   LL22: Aber 7J 25
Lon Werdd LL28: Rhos S 5H 17
   (shown as Greenway)
Lon Wynne LL16: Denb 2J 39
Lon-y-Bedw LL57: Bang 5B 10
Lon-y-Berllan LL22: Aber 7H 25
Lon y Brodyr LL57: Bang 2F 11
Lon y Bryn LL55: C'fn 5E 4
   LL59: Men B 1H 9
Lon-y-Bryn LL57: Bang 4A 10
Lon-y-Cyll LL22: Pens 4K 25
Lon-y-Dail LL22: Aber 7J 25
Lon-y-Der LL57: Bang 4A 10
Lon-y-Dryw LL22: Belg 5A 26
Lon y Dwr LL57: Bang 1F 11
Lon y Fedw Arian LL16: Denb 3J 39
Lon y Felin LL55: C'fn 4C 4 (4C 40)
Lon-y-Felin LL57: Bang 3F 11
Lon y Ffrith LL30: Llan 4J 15
Lon-y-Ffrwd LL57: Bang 4B 10
Lon-y-Gaer LL31: D'wy 3H 19
Lon y Gamfa LL59: Men B 1J 9
Lon y Garth LL59: Men B 1H 9
Lon y Gelli LL16: Denb 3J 39
Lon-y-Glyder LL57: Bang 3B 10
Lon y Gogarth LL57: Bang 1E 10
Lon-y-Gors LL22: Pens 3K 25
Lon Y Gyffordd LL31: Llan J 5K 19
   (shown as Junction Way)
Lon-y-Llyn LL22: Pens 6A 26
Lon-y-Meillion LL57: Bang 4B 10
Lon-y-Mes LL22: Aber 7H 25
Lon y Parc LL57: Bang 2G 11
Lon yr Efail LL31: Glanw 7C 16
Lon yr Eglwys LL55: C'fn 4C 4 (3B 40)
Lon Ysgol Rad LL55: C'fn 4D 4
Lon Ysgubor Wen LL55: C'fn 3E 4
Lon Ystrad LL18: Rhyl 6F 29
Lon y Waen LL59: Men B 1J 9
Lon-y-Waun LL22: Aber 6J 25
Lon y Wennol LL61: Llan P 2E 8
Lon y Wylan LL22: Belg 5B 26
   LL61: Llan P 2E 8
Lorina Gro. LL30: Llan 5J 15
Lothian Pk. LL17: St A 6C 38
   (off Bryn Gobaith)
Love La. LL16: Denb 5G 39
   LL55: C'fn 7D 40
   LL57: Bang 2E 10
   (shown as Lon Cariadon)
Lwr. Denbigh Rd. LL17: St A 6B 38
Lwr. Foel Rd. LL18: Dys 5B 34
Lwr. Gate St. LL32: Conwy 5G 19
Lwr. High St. LL32: Conwy 5G 19
Lwr. Pant y Wennol LL30: Llan 4B 16
Lower St. LL17: St A 6C 38
   LL57: Bang 3E 10
   (shown as Stryd Isaf)
Lowther Cl. LL18: Kin B 4J 27
Lowther Ct. LL18: Bode 3F 37
Luke St. LL17: St A 6C 38
Lyndon Dr. LL18: Kin B 4J 27
Lynton Wlk. LL18: Rhyl 5D 28
Lynwood Dr. LL18: Rhyl 5D 28

M

Machno Pl. LL16: Denb 3H 39
   (off Grove Rd.)
McInroy Cl. LL30: Llan 5G 15
McKinley Rd. LL31: Llan J 5K 19
Madoc Cl. LL28: Rhos S 7F 17
Madoc St. LL30: Llan 3G 15
Madoc Ter. LL32: Conwy 7F 19
   (off New St.)

Rosedale Gdns. LL18: Rhyl 1F **33**
Rose Hill LL29: Old C 4D **22**
LL58: Beau 1J **7**
(off Gaol St.)
Rosehill Rd. LL18: Rhyl 1E **32**
Rose Hill St. LL32: Conwy 6G **19**
Rosemary Av. LL29: Col B 4A **22**
Rosemary La. *LL16: Denb* 4G **39**
(off Back Row)
LL32: Conwy 6F **19**
LL58: Beau 1J **7**
Rosemount Av. LL18: Kin B 1H **27**
Roseview Cres. LL18: Kin B 2J **27**
Roslin Gdns. LL30: Llan 4K **15**
Roumania Cres. LL30: Llan 4K **15**
Roumania Dr. LL30: Llan 4K **15**
Roundwood Av. LL19: Prest 6B **30**
Rowan Dr. LL18: Rhyl 1F **33**
Rowland St. *LL55: C'fn* 1E **40**
(shown as Stryd Rolant)
ROYAL ALEXANDRA HOSPITAL (RHYL) /
YSBYTY BRENHINOL ALEXANDRA
. . . . .4C **28**
Royal Cambrian Academy 5G **19**
(off Chapel St.)
Royal Welch Av. LL18: Bode 3E **36**
Royal Welsh Fusiliers Mus.
. . . . .4C **4** (5B **40**)
Roy Av. LL19: Prest 3H **29**
Royd Ter. LL28: Rhos S 1H **21**
Ruby Ter. LL17: St A 6B **38**
Russell Av. LL29: Col B 4K **21**
Russell Ct. LL18: Rhyl 5C **28**
Russell Dr. LL19: Prest 3K **29**
Russell Gdns. LL18: Rhyl 5C **28**
Russell Rd. LL18: Rhyl 6B **28**
Ruthin Rd. LL16: Denb 4H **39**

S

Sackville Rd. *LL57: Bang* 3D **10**
(shown as Ffordd Sackville)
St Agnes Rd. LL32: Conwy 6F **19**
St Andrew's Av. LL30: Llan 4F **15**
St Andrews Dr. LL19: Prest 4C **30**
St Andrew's Pl. LL30: Llan 3F **15**
St Andrews Rd. LL29: Col B 5J **21**
St Anne's Av. LL19: Prest 5A **30**
St Annes Ct. LL30: L'rhos 1J **19**
St Anne's Gdns. LL30: L'rhos 1J **19**
St Anns St. LL18: Rhyl 6C **28**
ST ASAPH .6C **38**
St Asaph Av. LL18: Kin B 1H **27**
LL22: St. G 4J **27**
St Asaph Bus. Pk. LL17: St A 7H **37**
(Ffordd Richard Davies)
LL17: St A 5H **37**
(Ffordd William Morgan)
LL17: St A 6H **37**
(Llys Edmund Prys)
St Asaph Cathedral 6C **38**
St Asaph Leisure Cen. 6D **38**
St Asaph Dr. LL19: Prest 5B **30**
St Asaph Rd. LL18: Dys 5B **34**
LL18: Rhud 6D **32**
LL22: St. G, Bode 2A **36**
(not continuous)
St Asaph St. LL18: Rhyl 5C **28**
St Barbara's Av. LL18: Bode 3D **36**
St Brelade's Dr. LL19: Prest 4C **30**
St Catherine's Dr. LL29: Old C 4D **22**
St Chads Way LL19: Prest 5B **30**
St David's Av. LL31: Llan J 4K **19**
St David's Cl. LL30: Pen B 5D **16**
ST DAVID'S HOSPICE 3E **14**
St David's La. LL16: Denb 4H **39**
St David's Pl. LL30: Llan 4G **15**

St David's Retail Pk.
LL57: Bang 4B **10**
St Davids Rd. LL22: Aber 5H **25**
LL34: Penm 2H **13**
LL55: C'fn 1E **40**
(shown as Lon Ddewi)
LL29: Old C 4F **23**
LL30: Llan 3F **15**
LL30: Pen B 5D **16**
St David's Sq. LL18: Rhyl 7C **28**
St Davids Ter. LL34: Penm 2J **13**
St Elmo's Dr. LL19: Prest 4D **30**
ST GEORGE 3A **36**
St George Rd. LL22: Aber 6K **25**
St Georges Cres. LL18: Rhyl 5D **28**
LL30: Llan 3G **15**
(off Parade, The)
St Georges Dr. LL19: Prest 4C **30**
LL31: D'wy 4H **19**
St George's Pl. LL30: Llan 3G **15**
St Georges Rd. LL59: Men B 2K **9**
(shown as Ffordd Cynan)
St George's Rd. LL28: Rhos S 7H **17**
St Helens Pl. LL18: Rhyl 6B **28**
St Helens Rd. *LL55: C'fn* 5C **40**
(shown as Ffordd Santes Helen)
St Helens Ter. *LL55: C'fn* 5D **4**
(off Henwalia)
St Hilary's Ct. LL31: D'wy 4H **19**
St Hilary's Dr. LL31: D'wy 3H **19**
St Hilary's Rd. LL30: Llan 6J **15**
St Hilarys Ter. *LL16: Denb* 5G **39**
(off Bull La.)
St James Dr. LL19: Prest 4B **30**
LL57: Bang 3D **10**
St Johns Cres. LL29: Old C 4D **22**
St Johns Pk. LL34: Penm 2H **13**
St Johns Pk. E. LL34: Penm 2H **13**
St Johns Pk. W. LL34: Penm 2H **13**
St John's Pl. LL30: Llan 4G **15**
ST KENTIGERN HOSPICE 7E **38**
St Margarets Av. LL19: Prest 5A **30**
St Margaret's Dr. LL18: Rhyl 7D **28**
LL30: Llan 4K **15**
St Margarets Rd. LL31: Llan J 5K **19**
St Margarets Row *LL18: Bode* 3E **36**
(off Abergele Rd.)
St Marys Av. *LL57: Bang* 2E **10**
(shown as Rhodfa Mair)
St Mary's Ct. LL18: Rhyl 5C **28**
St Mary's Dr. LL18: Rhyl 7D **28**
St Mary's Rd. LL30: Llan 3G **15**
St Pauls Cl. LL29: Col B 3K **21**
St Seiriol's Gdns. LL30: Llan 4F **15**
St Seiriol's Rd. LL30: Llan 4F **15**
St Trillo's Ct. LL28: Rhos S 6J **17**
St Tudno's Rd. LL30: Llan 1D **14**
St Winifreds Cl. LL33: L'chan 5B **12**
Salem Ter. LL22: Rhyd 7C **24**
Salisbury Ct. LL30: Llan 3F **15**
Salisbury Dr. LL19: Prest 4A **30**
Salisbury Pas. LL30: Llan 3F **15**
Salisbury Rd. LL30: Llan 3F **15**
Sandbank Rd. LL22: Towy 3E **26**
Sandfield Pl. LL18: Rhyl 7A **28**
Sandhills Rd. LL29: Old C 4D **22**
Sandhurst Rd. LL19: Prest 3A **30**
Sandiway LL19: Prest 3J **29**
Sandringham Av. LL18: Rhyl 6A **28**
SANDY COVE 2G **27**
Sandy La. LL19: Prest 2C **30**
Sandy La. Bus. Pk. LL19: Prest 3C **30**
San Remo Av. LL22: Towy 3E **26**
Sapphire Ho. *LL30: Llan* 3J **15**
(off Tyn y Ffrith Rd.)
Sarn La. LL18: Bode, Rhud 2G **37**
Saronie Ct. *LL19: Prest* 3D **30**
(off Clwyd Av.)

Saunders Way LL18: Rhyl 1D **32**
School La. LL30: Llan 3F **15**
LL34: Penm 2J **13**
Seabank Dr. LL19: Prest 3A **30**
Sea Bank Rd. LL28: Col B 1K **21**
Seabank Rd. LL18: Rhyl 7A **28**
Seafield Dr. LL22: Belg 5B **26**
Seafield Rd. LL29: Col B 4K **21**
Sea Life Cen. 5B **28**
Sea Rd. LL19: Prest 2B **30**
LL22: Aber 4J **25**
(not continuous)
Sea Vw. Ct. LL18: Kin B 2G **27**
Sea Vw. Rd. LL29: Col B 2A **22**
Seaview Ter. LL32: Conwy 5G **19**
Second Av. LL19: Prest 1B **30**
LL28: Rhos S 6G **17**
Sefton Rd. LL29: Old C 4E **22**
Sefton Ter. LL31: D'wy 2F **19**
Segontium Rd. Sth. *LL55: C'fn* 5D **4**
(shown as Ffordd Segontiwm)
Segontium Roman Fort Mus. 5E **4**
Seiont Mill Rd. *LL55: C'fn* 6D **4**
(shown as Ffordd Felin Seiont)
Seiriol Rd. *LL34: Penm* 2J **13**
(shown as Ffordd Seiriol)
LL57: Bang 1E **10**
(shown as Lon Seiriol)
Seiriol Ter. *LL57: Bang* 1F **11**
(shown as Rhes Seiriol)
Seven Sisters Rd. LL19: Prest 2C **30**
Severn Rd. LL29: Col B 5B **22**
Seymour Dr. LL18: Rhud 5F **33**
Sgar y Fron LL57: Bang 2E **10**
Sgwar Britania LL57: Bang 2D **10**
Sgwar Kyffin *LL57: Bang* 3D **10**
(shown as Kyffin Sq.)
Sgwar Twthill *LL55: C'fn* 4D **4**
(off Pentre Newydd)
Sgwar Uxbridge *LL55: C'fn* 4D **4**
(shown as Uxbridge Sq.)
Sgwar y Fron LL57: Bang 2D **10**
Shaftesbury Av. LL30: Pen B 5D **16**
Shamrock Ct. LL31: D'wy 3J **19**
Shamrock Ter. LL31: D'wy 3J **19**
Shaun Cl. LL18: Rhyl 1E **32**
Shaun Dr. LL18: Rhyl 1E **32**
Sherwood Av. LL18: Rhyl 4H **29**
Shirehall St. *LL55: C'fn* 5B **40**
(shown as Stryd y Jel)
Sholing Dr. LL18: Rhyl 5E **28**
Shore Rd. LL19: Gron 1H **31**
LL33: L'chan 4B **12**
Shore Rd. E. LL33: L'chan 4B **12**
Siamber-wen (remains of) 2C **34**
Siliwen Rd. *LL57: Bang* 2D **10**
(shown as Ffordd Siliwen)
Silverdale Rd. *LL17: St A* 5C **38**
(off Mill St.)
SINAN 7E **36**
Singleton Cres. LL28: Moch 3F **21**
Sisson St. LL18: Rhyl 7C **28**
Skerryvore Rd. LL31: B Pyd 2A **20**
Skinner St. *LL55: C'fn* 5C **40**
(shown as Lon Crwyn)
Skytower 5A **28**
Smallest House in Britain 5G **19**
Smith Av. LL29: Old C 4C **22**
SMITHFIELD 5F **39**
Smithfield Rd. LL16: Denb 5F **39**
Snowdonia National Pk. 7H **13**
Snowdon St. *LL55: C'fn* 6E **40**
(shown as Stryd Capel Joppa)
Somerset Rd. LL30: Llan 3G **15**
South Av. LL18: Rhyl 7A **28**
LL19: Prest 3C **30**
South Dr. LL18: Rhyl 1E **32**
Sth. Kinmel St. LL18: Rhyl 6B **28**

Southlands Rd. LL18: Kin B 1J 27
South Mdw. Cl. LL19: Prest 3B 30
South Pde. LL22: Pens 3K 25
   LL30: Llan 2G 15
South Penrallt LL55: C'fn 4D 40
   (shown as Penrallt Isaf)
South Pl. LL28: Rhos S 6H 17
South Rd. LL55: C'fn 7E 40
   (shown as Lon Parc)
South St. LL33: L'chan 3C 12
Spencer Trad. Est. LL16: Denb 2H 39
Springdale LL29: Old C 6E 22
Spring Gdns. LL22: Aber 5J 25
Spruce Av. LL18: Rhyl 5E 28
Square, The LL18: Kin B 2H 27
   (Bronwen Av.)
   LL18: Kin B 3J 27
   (Park Av.)
Stad Ddiwydianol Tre Marl
   LL31: Llan J 5K 19
   (off Tal-y-Sarn)
Stad Foel Graig LL61: Llan P 3E 8
Stad Garnedd LL60: Star 2A 8
Stad Glandwr LL55: Caet 6G 5
Stafford Pk. LL18: Rhyl 7B 28
Stamford St. LL31: D'wy 3H 19
Stanley Oak Rd. LL31: Llan J 5K 19
Stanley Pk. LL17: St A 6B 38
   (off Heol Afron)
Stanley Pk. Av. LL18: Rhyl 7E 28
Stanley St. LL58: Beau 1J 7
Stanley Ter. LL16: Denb 5G 39
   (off Tan-y-Gwalia)
Stanmore St. LL18: Rhyl 7A 28
STAR 2A 8
Station Bus Pk. LL22: Pens 3K 25
Station Rd. LL16: Denb 4H 39
   LL18: Rhud 6E 32
   LL19: Prest 2C 30
   LL22: L'las 4B 24
   LL28: Moch 3E 20
   LL29: Col B 3K 21
   LL29: Old C 4D 22
   LL31: D'wy 2F 19
   LL31: L'nin 3E 20
   LL33: L'chan 3C 12
   LL57: Bang 3D 10
   (shown as Ffordd yr Orsaf)
   LL61: Llan P 3D 8
Station Rd. E. LL34: Penm 1J 13
Station Rd. W. LL34: Penm 2J 13
Station Sq. LL29: Col B 2A 22
   (off Victoria Av.)
Station Ter. LL22: Pens 3K 25
Station Ter. LL31: Llan J 5K 19
Steeple La. LL58: Beau 1J 7
Stephen Rd. LL19: Prest 3J 29
Stephenson Cl. LL30: Pen B 5C 16
   LL32: Conwy 3E 18
Stephen St. LL30: Llan 3G 15
Stoneby Dr. LL19: Prest 4D 30
Strand St. LL57: Bang 2F 11
   (shown as Ffordd y Traeth)
Stryd Albert LL57: Bang 2D 10
Stryd Ambrose LL57: Bang 2F 11
Stryd Bangor LL55: C'fn 4C 4 (4C 40)
Stryd Belmont LL57: Bang 3C 10
Stryd Cae LL57: Bang 2C 10
Stryd Capel Joppa
   LL55: C'fn 5D 4 (6E 40)
Stryd Clarence LL57: Bang 3C 10
Stryd Deinoi LL57: Bang 2D 10
Stryd Dinorwic LL55: C'fn 4D 4
Stryd Edmund LL57: Bang 1F 11
Stryd Fawr LL18: Rhyl 5B 28
   (shown as High St.)
   LL19: Prest 3D 30
   (shown as High St.)

Stryd Fawr LL34: Penm 2G 13
   LL55: C'fn 4C 4 (4A 40)
   LL57: Bang 3D 10
   LL59: Men B 2K 9
Stryd Garnon LL55: C'fn 4D 4 (6E 40)
Stryd Henllan LL16: Denb 4F 39
   (shown as Henllan St.)
Stryd Isaf LL57: Bang 3E 10
Stryd Jams LL57: Bang 2E 10
Stryd John Llwdd
   LL55: C'fn 4D 4 (6D 40)
Stryd Marcws LL55: C'fn 5D 4
Stryd Marged LL55: C'fn 4D 4
Stryd Mari LL55: C'fn 4D 4
Stryd Mason LL57: Bang 1F 11
Stryd Newydd LL55: C'fn 4D 4 (6D 40)
Stryd Niwbwrch LL55: C'fn 4D 4 (6E 40)
Stryd Panton LL57: Bang 2E 10
Stryd Pedwara Cwech
   LL55: C'fn 4C 4 (4B 40)
Stryd Robert LL57: Bang 1F 11
Stryd Rolant LL55: C'fn 3D 4 (1E 40)
Stryd Santes Helen LL55: C'fn 5D 4
Stryd Star Bach LL55: C'fn 4C 40
   (shown as Pepper La.)
Stryd Thomas LL55: C'fn 4D 4 (3E 40)
Stryd Victoria LL55: C'fn 4D 4
   LL57: Bang 2D 10
Stryd Waterloo LL57: Bang 2E 10
Stryd William LL55: C'fn 4D 4
   LL57: Bang 2F 11
Stryd Y Baddon LL18: Rhyl 5B 28
   (shown as Bath St.)
Stryd y Bont LL59: Men B 3K 9
Stryd-y-Capel LL59: Men B 3K 9
Stryd y Castell LL55: C'fn 4C 4 (5B 40)
Stryd-y-Dderwen LL22: Belg 5B 26
Stryd y Degwen
   LL55: C'fn 4D 4 (6E 40)
Stryd y Deon LL57: Bang 2E 10
Stryd Y Dwr LL18: Rhyl 6B 28
   (shown as Water St.)
Stryd Y Dyffryn LL16: Denb 4G 39
   (shown as Vale St.)
Stryd y Eglwys LL57: Bang 4C 10
Stryd y Faenol LL55: C'fn 4D 4
Stryd y Farchnad LL55: C'fn . .4C 4 (4B 40)
Stryd y Ffynon LL59: Men B 2K 9
Stryd Y Gwlith LL59: Men B 2K 9
   (shown as Dew St.)
Stryd-y-Gwynt LL32: Conwy 5F 19
Stryd y Jel LL55: C'fn 4C 4 (5B 40)
Stryd y Llyn LL55: C'fn 4D 4 (5C 40)
Stryd y Parc LL57: Bang 2D 10
Stryd y Pistyll LL57: Bang 1F 11
Stryd y Plas LL55: C'fn 4C 4 (5B 40)
Stryd y Porth Mawr
   LL55: C'fn 4C 4 (4C 40)
Stryd yr Allt LL57: Bang 2C 10
Stryd yr Eglwys LL55: C'fn 4C 4 (4B 40)
Stryd yr Hendre LL55: C'fn 5D 4
Stryd y Tryfan LL29: Col B 4K 21
Stuart Dr. LL28: Rhos S 7G 17
Sudbury Cl. LL18: Rhyl 7B 28
Summer Ct. LL22: Towy 5E 26
Summit Stop
   Great Orme Tramway 1D 14
Sunningdale LL22: Aber 4H 25
Sunningdale Av. LL29: Col B 4H 21
Sunningdale Dr. LL30: Pen B 5D 16
Sunningdale Gro. LL29: Col B 4J 21
Sunray Av. LL22: Belg 5B 26
Susan Gro. LL18: Bode 3B 30
Sussex St. LL18: Rhyl 6B 28
Swan Rd. LL28: Moch 4E 20
Swn y Dail LL18: Bode 3E 36
Swn-y-Don LL29: Old C 5G 23
Sycamore Cres. LL19: Prest 4D 30

Sycamore Gro. LL18: Rhyl 5D 28
Sychnant Pass Rd.
   LL32: Conwy 6A 18
   LL34: Conwy 7K 13
Sydenham Av. LL18: Rhyl 1K 27
   LL22: Aber 5K 25
Sydney Rd. LL55: C'fn 3D 4
   (shown as Lon Sydney)
Sylva Gdns. Nth. LL30: Llan 4K 15
Sylva Gdns. Sth. LL30: Llan 4K 15
Sylva Gro. LL30: Llan 4K 15

T

Tabor Hill LL30: Llan 2F 15
Tai Cochion LL17: St A 4E 38
Tai Glangwna LL55: Caet 6H 5
Tai Lon LL61: Llan P 3F 9
Tai Parc Gele LL22: Aber 6K 25
   (off Gele Av.)
Tair Felin LL17: St A 5C 38
   (off Mill St.)
Tai'r Mynydd LL57: Bang 2E 10
Tai Tywyn Bus. Pk. LL19: Prest 2B 30
Talardy Pk. LL17: St A 5B 38
Talargoch Ind. Est. LL18: Dys 1B 34
Taliesin St. LL30: Llan 3G 15
Talrych LL22: St. G 2A 36
Talton Ct. LL19: Prest 3E 30
Talton Cres. LL19: Prest 3E 30
TAL-Y-BONT 5J 11
Tal-y-Sarn LL31: Llan J 5K 19
Tan Benarth LL32: Conwy 7F 19
Tan Dderwen LL34: Penm 3J 13
   (off Graiglwyd Rd.)
Tanllwyfan LL29: Old C 4G 23
Tanrallt LL55: C'fn 4D 4 (5E 40)
Tanrallt Av. LL18: Kin B 5K 27
   (not continuous)
Tanrallt Cotts. LL34: Penm 7H 13
Tanrallt St. LL28: Moch 4F 21
Tanrallt Ter. LL19: Prest 7C 30
Tan Refail LL31: D'wy 2J 19
Tan Rhiw LL30: Pen B 4D 16
Tan-y-Berllan LL31: D'wy 3J 19
Tan y Bonc LL59: Men B 3K 9
Tan-y-Bont LL55: C'fn 4C 4 (5C 40)
Tan y Bryn LL17: St A 5A 38
   LL57: L'gai 5H 11
Tan-y-Bryn LL31: Llan J 4J 19
Tan-y-Bryn Dr. LL28: Rhos S 7G 17
Tan-y-Bryn Rd. LL28: Rhos S 7G 17
   LL30: Llan 5K 15
Tan Y Bryn Ter. LL57: Bang 3E 10
   (shown as Rhes Tan y Bryn)
Tan y Chwarel LL16: Denb 3G 39
Tan y Coed LL30: P'side 5C 16
   LL57: Bang 4F 11
Tan-y-Coed LL34: Penm 3J 13
   (off Graiglwyd Rd.)
Tan y Cwm LL30: Llan 5G 15
   (off Maes-y-Cwm)
Tan-y-Don Cvn. Pk. LL19: Prest 3A 30
   (off Seabank Dr.)
Tan-y-Felin LL32: Conwy 6G 19
Tan y Ffordd LL59: L'wrn 1A 6
Tan y Fforest LL18: Cwm D 7D 34
Tan-y-Foel LL22: Rhyd 7C 24
Tan y Fron LL29: Col B 5B 22
Tan-y-Fron LL31: D'wy 2H 19
Tan-y-Fyn Went LL57: Bang 2E 10
Tan-y-Gaer LL22: Aber 6H 25
   LL31: D'wy 2J 19
Tan-y-Gopa LL22: Aber 6G 25
Tan-y-Graig LL61: Llan P 3D 8
Tan-y-Graig Rd. LL29: L'faen 5H 23
Tan y Graig Sq. LL57: Bang 4C 10

Z